Classiques & Con

D0779946

Collection animée par
Jean-Paul Brighelli et Michel Dobransky

Victor Hugo
Claude Gueux

Présentation, notes, questions et après-texte établis par

MICHEL DOBRANSKY
professeur de Lettres

MAGNARD

Sommaire

HUGO : LE POÈTE ET LE JUSTE

À deux reprises, l'enfance de Victor Hugo (1802-1885) est traversée de scènes qui peupleront l'imagination du poète, du dramaturge et de l'homme politique : à 5 ans, il traverse l'Italie avec sa mère pour retrouver son père, le colonel Hugo, en poste à Naples ; il n'oubliera jamais les suppliciés, pendus aux arbres, les membres humains rouges de sang. À 9 ans, l'enfant rencontre à nouveau, dans l'Espagne en révolte contre l'armée impériale, la cruauté et la mort. Il a 10 ans lorsque son parrain, le général Lahorie, est exécuté pour sa participation à une tentative de coup d'État.

La même année que *Les Orientales* (1829) paraît *Le Dernier Jour d'un condamné* qui dit l'horreur de la peine de mort : le poète et le moraliste, subsisteront en Hugo jusqu'à la fin de sa vie. Cette tendresse pour les pauvres et les opprimés se manifestera dans *Les Misérables* (1862) qui dénonceront la fatalité sociale qui pèse sur les épaules de l'humanité.

Alors que paraît *Notre-Dame de Paris*, en 1831, Claude Gueux tue le gardien-chef de la prison de Clairvaux, M. Delacelle (M.D. dans la nouvelle). Son procès commence en mars 1832, à Troyes. Il est condamné à mort et décapité le 1er juin 1832. La nouvelle de Victor Hugo paraîtra en juillet 1834. À plusieurs reprises, Hugo s'opposera à la peine de mort, aussi bien sur le plan législatif, quand il sera député, que pour défendre tel ou tel condamné : Tapner en 1854 à Guernesey ou John Brown en 1859, héros de la lutte contre l'esclavage aux États-Unis.

La révolution de 1830 va engager l'évolution politique de Victor Hugo. Monarchiste par fidélité à sa mère, il accepte la monarchie constitutionnelle issue de la dite révolution et bénéficie des faveurs du régime : il est reçu à l'Académie française en 1841, nommé pair de France en 1845.

La révolution de 1848 voit Hugo toujours incertain : le pair de France est républicain en principe, mais soutient la régence de la duchesse d'Orléans pour se rallier enfin au prince Louis-Napoléon qui porte un si grand nom... Peu à peu, son opposition devient irréductible et il se range résolument aux côtés des ouvriers qui subissent la répression sanglante de l'armée.

Au lendemain du coup d'État – le 2 décembre 1851 – qui fait de Louis-Napoléon Bonaparte l'empereur des Français, il doit prendre le chemin de l'exil.

Les Châtiments (1853-1870) disent la colère du proscrit, le mépris pour le « petit homme » qui a pris le pouvoir dans le sang et la haine. Quand, en 1859, l'Empire offre l'amnistie aux exilés, Hugo la refuse avec hauteur. De retour en France en 1870 et siégeant à l'Assemblée, il est un homme seul qui affirme : « Je suis de ceux qui pensent qu'on peut détruire la misère ». Il a de grands projets qu'il n'aura pas le temps de faire aboutir : « Abolition de la peine de mort – Abolition des peines infamantes et afflictives – Réforme de la magistrature – Actes préparatoires des États-Unis d'Europe – Instruction gratuite et obligatoire – Droits de la femme ».

Il avait écrit pour l'éternité et donné à penser à notre siècle.

Victor Hugo
Claude Gueux

Dunkerque, le 30 juillet 1834.

Monsieur le Directeur de La Revue de Paris,

Claude Gueux, *de Victor Hugo, par vous inséré dans votre livraison du 6 courant, est une grande leçon ; aidez-moi, je vous prie, à la faire profiter.*

Rendez-moi, je vous prie, le service de faire tirer autant d'exemplaires qu'il y a de députés en France, et de les leur adresser individuellement et bien exactement.

J'ai l'honneur de vous saluer.

Charles Carlier[1]
Négociant.

(L'original de cette lettre est déposé aux bureaux de *La Revue de Paris*.)

---

1. Publié en revue le 6 juillet 1834, *Claude Gueux* est imprimé selon la volonté de ce négociant de Dunkerque à 500 exemplaires dès le 25 août de la même année.

Il y a sept ou huit ans, un homme nommé Claude Gueux, pauvre ouvrier, vivait à Paris. Il avait avec lui une fille qui était sa maîtresse, et un enfant de cette fille. Je dis les choses comme elles sont, laissant le lecteur ramasser les moralités à mesure que
5 les faits les sèment sur leur chemin. L'ouvrier était capable, habile, intelligent, fort maltraité par l'éducation, fort bien traité par la nature, ne sachant pas lire et sachant penser. Un hiver, l'ouvrage manqua. Pas de feu, ni de pain dans le galetas[1]. L'homme, la fille et l'enfant eurent froid et faim. L'homme vola.
10 Je ne sais ce qu'il vola, je ne sais où il vola. Ce que je sais, c'est que de ce vol il résulta trois jours de pain et de feu pour la femme et pour l'enfant, et cinq ans de prison pour l'homme.

L'homme fut envoyé faire son temps à la maison centrale de Clairvaux[2]. Clairvaux, abbaye dont on a fait une bastille, cel-
15 lule dont on a fait un cabanon, autel dont on a fait un pilori[3]. Quand nous parlons de progrès, c'est ainsi que certaines gens le comprennent et l'exécutent. Voilà la chose qu'ils mettent sous notre mot.

---

1. Logement sordide.
2. Prison centrale située à Bar-sur-Aube dans les bâtiments d'une abbaye fondée en 1115.
3. Roue sur laquelle on attachait le condamné qui subissait les moqueries et les brutalités de la foule.

BIEN LIRE

L. 6-7 : Relevez les oppositions dans cette phrase. Que veulent-elles mettre en valeur ?
L. 7-10 : Remarquez la brièveté des phrases. Quel effet veut produire Victor Hugo ?

Poursuivons :

20   Arrivé là, on le mit dans un cachot pour la nuit et dans un atelier pour le jour. Ce n'est pas l'atelier que je blâme.

Claude Gueux, honnête ouvrier naguère, voleur désormais, était une figure digne et grave. Il avait le front haut, déjà ridé, quoique jeune encore, quelques cheveux gris perdus dans les
25 touffes noires, l'œil doux et fort puissamment enfoncé sous une arcade sourcilière bien modelée, les narines ouvertes, le menton avancé, la lèvre dédaigneuse. C'était une belle tête. On va voir ce que la société en a fait.

Il avait la parole rare, le geste plus fréquent, quelque chose
30 d'impérieux dans toute sa personne et qui se faisait obéir, l'air pensif, sérieux plutôt que souffrant. Il avait pourtant bien souffert.

Dans le dépôt où Claude Gueux était enfermé, il y avait un directeur des ateliers, espèce de fonctionnaire propre aux pri-
35 sons, qui tient tout ensemble du guichetier[1] et du marchand, qui fait en même temps une commande à l'ouvrier, et une menace au prisonnier, qui vous met l'outil aux mains et les fers aux pieds. Celui-là était lui-même une variété dans l'espèce, un

---

1. Gardien employé au guichet, ouverture dans la porte de la cellule qui permet de surveiller le prisonnier ou de lui passer la nourriture.

BIEN LIRE

L. 22 : Quel est le sens de « naguère » ? Quelle est l'importance de cette notation ?

L. 23-24 : Que soulignent les rides et les cheveux gris ?

L. 27-28 : Qu'est-ce que la société va faire de cette belle tête ?

homme bref, tyrannique, obéissant à ses idées, toujours à
40 courte bride sur son autorité ; d'ailleurs, dans l'occasion, bon
compagnon, bon prince, jovial même et raillant avec grâce ; dur
plutôt que ferme ; ne raisonnant avec personne, pas même avec
lui ; bon père, bon mari, sans doute, ce qui est devoir et non
vertu ; en un mot, pas méchant, mauvais. C'était un de ces
45 hommes qui n'ont rien de vibrant ni d'élastique, qui sont com-
posés de molécules inertes, qui ne résonnent au choc d'aucune
idée, au contact d'aucun sentiment, qui ont des colères glacées,
des haines mornes, des emportements sans émotion, qui prennent feu sans s'échauffer, dont la capacité de calorique[1] est
50 nulle, et qu'on dirait souvent faits de bois ; ils flambent par un
bout et sont froids par l'autre. La ligne principale, la ligne dia-
gonale du caractère de cet homme, c'était la ténacité. Il était fier
d'être tenace, et se comparait à Napoléon. Ceci n'est qu'une
illusion d'optique. Il y a nombre de gens qui en sont dupes et
55 qui, à certaine distance, prennent la ténacité pour de la volonté,
et une chandelle pour une étoile. Quand cet homme donc avait
une fois ajusté ce qu'il appelait « sa volonté » à une chose
absurde, il allait tête haute et à travers toute broussaille jusqu'au
bout de la chose absurde. L'entêtement sans l'intelligence, c'est
60 la sottise soudée au bout de la bêtise et lui servant de rallonge.

---

1. Quantité de chaleur mesurable
selon la physique de l'époque.

BIEN LIRE

**L. 44 : Quelle différence faites-vous entre
« méchant » et « mauvais » ?**

Cela va loin. En général, quand une catastrophe privée ou publique s'est écroulée sur nous, si nous examinons, d'après les décombres qui en gisent à terre, de quelle façon elle s'est échafaudée, nous trouvons presque toujours qu'elle a été aveuglé
65 ment construite par un homme médiocre et obstiné qui avait foi en lui et qui s'admirait. Il y a par le monde beaucoup de ces petites fatalités têtues qui se croient des providences.

Voilà donc ce que c'était que le directeur des ateliers de la prison centrale de Clairvaux. Voilà de quoi était fait le briquet
70 avec lequel la société frappait chaque jour sur les prisonniers pour en tirer des étincelles.

L'étincelle que de pareils briquets arrachent à de pareils cailloux allume souvent des incendies.

Nous avons dit qu'une fois arrivé à Clairvaux, Claude Gueux
75 fut numéroté dans un atelier et rivé à une besogne. Le directeur de l'atelier fit connaissance avec lui, le reconnut bon ouvrier, et le traita bien. Il paraît même qu'un jour, étant de bonne humeur, et voyant Claude Gueux fort triste, car cet homme pensait toujours à celle qu'il appelait sa femme, il lui conta, par
80 manière de jovialité[1] et de passe-temps, et aussi pour le consoler, que cette malheureuse s'était faite fille publique[2]. Claude demanda froidement ce qu'était devenu l'enfant. On ne savait.

---

1. Caractère gai, porté à la bonne humeur.
2. Prostituée.

BIEN LIRE

L. 65-66 : Quel défaut est signalé ici ?

L. 33-67 : Relevez les détails qui montrent que le directeur n'est pas un homme commode.

L. 75 : Que suggèrent les mots « numéroté » et « rivé » ?

Au bout de quelques mois, Claude s'acclimata à l'air de la prison, et parut ne plus songer à rien. Une certaine sérénité
85 sévère, propre à son caractère, avait repris le dessus.

Au bout du même espace de temps à peu près, Claude avait acquis un ascendant[1] singulier sur tous ses compagnons. Comme par une sorte de convention tacite[2], et sans que personne sût pourquoi, pas même lui, tous ces hommes le consultaient, l'écou-
90 taient, l'admiraient et l'imitaient, ce qui est le dernier degré ascendant de l'admiration. Ce n'était pas une médiocre gloire d'être obéi par toutes ces natures désobéissantes. Cet empire lui était venu sans qu'il y songeât. Cela tenait au regard qu'il avait dans les yeux. L'œil d'un homme est une fenêtre par laquelle on
95 voit les pensées qui vont et viennent dans sa tête.

Mettez un homme qui contient des idées parmi des hommes qui n'en contiennent pas, au bout d'un temps donné, et par une loi d'attraction[3] irrésistible, tous les cerveaux ténébreux graviteront humblement et avec adoration autour du cerveau
100 rayonnant. Il y a des hommes qui sont fer et des hommes qui sont aimant. Claude était aimant.

En moins de trois mois donc, Claude était devenu l'âme, la loi et l'ordre de l'atelier. Toutes ces aiguilles tournaient sur son

---

1. Influence dominante.
2. Implicite, qu'on n'a pas besoin de dire.
3. Référence à la loi de l'attraction universelle de Newton selon laquelle les astres s'attirent.

BIEN LIRE

L. 94-95 : Expliquez cette métaphore. Quelle qualité peut être soulignée ici ?

L. 96-100 : À quoi vous fait penser cette image ?

cadran. Il devait douter lui-même par moments s'il était roi ou
105 prisonnier. C'était une sorte de pape captif avec ses cardinaux.

Et, par une réaction toute naturelle, dont l'effet s'accomplit
sur toutes les échelles, aimé des prisonniers, il était détesté des
geôliers[1]. Cela est toujours ainsi. La popularité ne va jamais
sans la défaveur. L'amour des esclaves est toujours doublé de la
110 haine des maîtres.

Claude Gueux était grand mangeur. C'était une des parti-
cularités de son organisation. Il avait l'estomac fait de telle
sorte que la nourriture de deux hommes ordinaires suffisait à
peine à sa journée. Monsieur de Cotadilla[2] avait un de ces
115 appétits-là, et en riait ; mais ce qui est une occasion de gaieté
pour un duc, grand d'Espagne[3], qui a cinq cent mille moutons
est une charge pour un ouvrier et un malheur pour un prisonnier.

Claude Gueux, libre dans son grenier, travaillait tout le jour,
120 gagnait son pain de quatre livres et le mangeait. Claude Gueux,
en prison, travaillait tout le jour et recevait invariablement pour
sa peine une livre et demie de pain et quatre onces[4] de viande.

---

1. Gardiens de prison.
2. Hugo, enfant, a traversé l'Espagne pour rejoindre son père, général de l'ar-mée napoléonienne. M. de Cotadilla était le chef d'escorte.
3. Noble espagnol qui avait le privilège de rester couvert en présence du roi.
4. Ancienne mesure de poids valant le douzième de la livre. Désigne aujour-d'hui une très petite quantité.

BIEN LIRE

L. 104-105 : Comment Claude Gueux peut-il être à la fois « roi » et « prisonnier » ?

L. 114-115 : Pourquoi M. de Cotadilla peut-il rire de son appétit ?

L. 117 : Quel est le sens de « charge » ?

La ration est inexorable. Claude avait donc habituellement faim dans la prison de Clairvaux.

125 Il avait faim, et c'était tout. Il n'en parlait pas. C'était sa nature ainsi.

Un jour, Claude venait de dévorer sa maigre pitance[1], et s'était remis à son métier, croyant tromper la faim par le travail. Les autres prisonniers mangeaient joyeusement. Un jeune
130 homme, pâle, blanc, faible, vint se placer près de lui. Il tenait à la main sa ration, à laquelle il n'avait pas encore touché, et un couteau. Il restait là debout près de Claude, ayant l'air de vouloir parler et de ne pas oser. Cet homme, et son pain, et sa viande, importunaient Claude.

135 – Que veux-tu ? dit-il enfin brusquement.

– Que tu me rendes un service, dit timidement le jeune homme.

– Quoi ? reprit Claude.

– Que tu m'aides à manger cela. J'en ai trop.

140 Une larme roula dans l'œil hautain de Claude. Il prit le couteau, partagea la ration du jeune homme en deux parts égales, en prit une, et se mit à manger.

– Merci, dit le jeune homme. Si tu veux, nous partagerons comme cela tous les jours.

---

1. Nourriture de mauvaise qualité.

BIEN LIRE

L. 140-143 : Comment se manifeste le caractère de Claude Gueux ?

145   – Comment t'appelles-tu ? dit Claude Gueux.

– Albin.

– Pourquoi es-tu ici ? reprit Claude.

– J'ai volé.

– Et moi aussi, dit Claude.

150   Ils partagèrent en effet de la sorte tous les jours. Claude
Gueux avait trente-six ans, et par moments il en paraissait cin-
quante, tant sa pensée habituelle était sévère. Albin avait vingt
ans, on lui en eût donné dix-sept, tant il y avait encore d'inno-
cence dans le regard de ce voleur. Une étroite amitié se noua
155 entre ces deux hommes, amitié de père à fils plutôt que de frère
à frère. Albin était encore presque un enfant ; Claude était déjà
presqu'un vieillard.

Ils travaillaient dans le même atelier, ils couchaient sous la
même clef de voûte[1], ils se promenaient dans le même préau[2],
160 ils mordaient au même pain. Chacun des deux amis était l'uni-
vers pour l'autre. Il paraît qu'ils étaient heureux.

Nous avons déjà parlé du directeur des ateliers. Cet homme,
haï des prisonniers, était souvent obligé, pour se faire obéir

---

1. Pierre située dans la partie centrale
d'une voûte et destinée à soutenir les
autres pierres. Ici, l'expression évoque une
pièce voûtée de construction ancienne.
2. Contrairement au préau de l'école, celui
de la prison désigne un espace découvert
qui peut servir de lieu de promenade.

BIEN LIRE

**L. 150-157 : Comment Victor Hugo
souligne-t-il les différences entre
les deux hommes ?**

L. 160-161 : On pense au vers de La
Fontaine : « Soyez-vous l'un à l'autre
un monde toujours beau » dans la
fable « Les Deux Pigeons ». Que
pensez-vous de cette amitié ?

d'eux, d'avoir recours à Claude Gueux qui en était aimé. Dans
165 plus d'une occasion, lorsqu'il s'était agi d'empêcher une rébellion
ou un tumulte, l'autorité sans titre de Claude Gueux avait prêté
main-forte à l'autorité officielle du directeur. En effet, pour
contenir les prisonniers, dix paroles de Claude valaient dix gendarmes. Claude avait maintes fois rendu ce service au directeur.
170 Aussi le directeur le détestait-il cordialement. Il était jaloux de ce
voleur. Il avait au fond du cœur une haine secrète, envieuse,
implacable, contre Claude, une haine de souverain de droit à
souverain de fait[1], de pouvoir temporel à pouvoir spirituel.

Ces haines-là sont les pires.

175 Claude aimait beaucoup Albin et ne songeait pas au directeur.

Un jour, un matin, au moment où les porte-clefs transva-
saient les prisonniers deux à deux du dortoir dans l'atelier, un
guichetier appela Albin qui était à côté de Claude, et le prévint
180 que le directeur le demandait.

– Que te veut-on ? dit Claude.

– Je ne sais pas, dit Albin.

Le guichetier emmena Albin.

La matinée se passa, Albin ne revint pas à l'atelier. Quand
185 arriva l'heure du repas, Claude pensa qu'il retrouverait Albin au

---

1. Le directeur des ateliers repré-
sente bien ici l'autorité légale, mais
c'est Claude Gueux qui dirige en
réalité ses camarades.

BIEN LIRE

**L. 177 : Quel indice temporel marque que
le récit va aborder une nouvelle phase ?
Quels autres indices ont ponctué le récit
jusqu'à ce passage ?**

préau. Albin n'était pas au préau. On rentra dans l'atelier, Albin ne reparut pas dans l'atelier. La journée s'écoula ainsi. Le soir, quand on ramena les prisonniers dans leur dortoir, Claude y chercha des yeux Albin, et ne le vit pas. Il paraît qu'il souffrait
190 beaucoup dans ce moment-là, car il adressa la parole à un guichetier, ce qu'il ne faisait jamais :

– Est-ce qu'Albin est malade ? dit-il.

– Non, répondit le guichetier.

– D'où vient donc, reprit Claude, qu'il n'a pas reparu aujour-
195 d'hui ?

– Ah ! dit négligemment le porte-clefs, c'est qu'on l'a changé de quartier.

Les témoins qui ont déposé de ces faits plus tard remarquè-rent qu'à cette réponse du guichetier la main de Claude, qui
200 portait une chandelle allumée, trembla légèrement. Il reprit avec calme :

– Qui a donné cet ordre-là ?

Le guichetier répondit :

– M.D.
205 Le directeur des ateliers s'appelait M.D.

La journée du lendemain se passa comme la journée précé-dente, sans Albin.

BIEN LIRE

L. 187-189 : Claude Gueux est un solitaire. Qu'est-ce qui le montre ?

L. 198-200 : Qu'est-ce qui montre l'inquiétude de Claude Gueux dans ce passage ?

L. 203-204 : Qualifiez l'attitude du guichetier.

Le soir, à l'heure de la clôture des travaux, le directeur, M.D.,
vint faire sa ronde habituelle dans l'atelier. Du plus loin que
210 Claude le vit, il ôta son bonnet de grosse laine, il boutonna sa
veste grise, triste livrée[1] de Clairvaux, car il est de principe dans
les prisons qu'une veste respectueusement boutonnée prévient
favorablement les supérieurs, et il se tint debout et son bonnet
à la main à l'entrée de son banc, attendant le passage du direc-
215 teur. Le directeur passa.

– Monsieur ! dit Claude.

Le directeur s'arrêta et se détourna à demi.

– Monsieur, reprit Claude, est-ce que c'est vrai qu'on a
changé Albin de quartier ?

220 – Oui, répondit le directeur.

– Monsieur, poursuivit Claude, j'ai besoin d'Albin pour vivre.

Il ajouta :

– Vous savez que je n'ai pas assez de quoi manger avec la
ration de la maison, et qu'Albin partageait son pain avec moi.

225 – C'était son affaire, dit le directeur.

– Monsieur, est-ce qu'il n'y aurait pas moyen de faire
remettre Albin dans le même quartier que moi ?

– Impossible. Il y a décision prise.

– Par qui ?

---

1. Habits du domestique aux
couleurs de son maître.

BIEN LIRE

**L. 208 : Combien de temps s'est-il passé
depuis le départ d'Albin ?**

**L. 217 : « Se détourna à demi » : qu'indique
ce détail ?**

230   — Par moi.

— Monsieur D., reprit Claude, c'est la vie ou la mort pour moi, et cela dépend de vous.

— Je ne reviens jamais sur mes décisions.

— Monsieur, est-ce que je vous ai fait quelque chose ?

235   — Rien.

— En ce cas, dit Claude, pourquoi me séparez-vous d'Albin ?

— Parce que, dit le directeur.

Cette explication donnée, le directeur passa outre.

Claude baissa la tête et ne répliqua pas. Pauvre lion en cage
240 à qui l'on ôtait son chien.

Nous sommes forcés de dire que le chagrin de cette sépara-
tion n'altéra en rien la voracité[1] en quelque sorte maladive du
prisonnier. Rien d'ailleurs ne parut sensiblement changé en lui.
Il ne parlait d'Albin à aucun de ses camarades. Il se promenait
245 seul dans le préau aux heures de récréation, et il avait faim. Rien
de plus.

Cependant ceux qui le connaissaient bien remarquaient
quelque chose de sinistre et de sombre qui s'épaississait chaque
jour de plus en plus sur son visage. Du reste, il était plus doux
250 que jamais.

---

1. Désir de manger, caractérise le gros mangeur.

BIEN LIRE

L. 231-232 : En relisant la nouvelle, quelle valeur prend cette expression ?

L. 241-243 : Pourquoi cette remarque de Victor Hugo ? La souffrance de Claude Gueux est-elle uniquement morale ?

Plusieurs voulurent partager leur ration avec lui, il refusa en souriant.

Tous les soirs, depuis l'explication que lui avait donnée le directeur, il faisait une espèce de chose folle qui étonnait de la
255 part d'un homme aussi sérieux. Au moment où le directeur, ramené à heure fixe par sa tournée habituelle, passait devant le métier[1] de Claude, Claude levait les yeux et le regardait fixement, puis il lui adressait d'un ton plein d'angoisse et de colère qui tenait à la fois de la prière et de la menace, ces deux mots
260 seulement : « Et Albin ? » Le directeur faisait semblant de ne pas entendre ou s'éloignait en haussant les épaules.

Cet homme avait tort de hausser les épaules, car il était évident pour tous les spectateurs de ces scènes étranges que Claude Gueux était intérieurement déterminé à quelque chose. Toute
265 la prison attendait avec anxiété quel serait le résultat de cette lutte entre une ténacité et une résolution.

Il a été constaté qu'une fois entre autres, Claude Gueux dit au directeur :

– Écoutez, Monsieur, rendez-moi mon camarade. Vous ferez
270 bien, je vous assure. Remarquez que je vous dis cela.

Une autre fois, un dimanche, comme il se tenait dans le préau, assis sur une pierre, les coudes sur les genoux et son front

---

1. Machine servant à travailler les textiles.

BIEN LIRE

L. 253-261 : Quelle est la valeur de l'imparfait dans ce paragraphe ?
L. 266 : Qui est « tenace » ? Qui est « résolu » ?

dans ses mains, immobile depuis plusieurs heures dans la même attitude, le condamné Faillette s'approcha de lui, et lui cria en
275 riant :

– Que diable fais-tu donc là, Claude ?

Claude leva lentement sa tête sévère, et dit :

– *Je juge quelqu'un.*

Un soir enfin, le 25 octobre 1831, au moment où le direc-
280 teur faisait sa ronde, Claude brisa sous son pied avec bruit un verre de montre qu'il avait trouvé le matin dans un corridor. Le directeur demanda d'où venait ce bruit.

– Ce n'est rien, dit Claude, c'est moi. Monsieur le directeur, rendez-moi mon camarade.

285 – Impossible, dit le maître.

– Il le faut pourtant, dit Claude d'une voix basse et ferme, et regardant le directeur en face, il ajouta : Réfléchissez. Nous sommes aujourd'hui le 25 octobre. Je vous donne jusqu'au 4 novembre.

290 Un guichetier fit remarquer à M.D. que Claude le menaçait et que c'était un cas de cachot.

– Non, point de cachot, dit le directeur avec un sourire dédaigneux, il faut être bon avec ces gens-là !

BIEN LIRE

L. 280-281 : Pourquoi Claude brise-t-il un verre de montre ?
L. 292-293 : Quel est le ton du directeur ? Comment peut-on le qualifier ?

Le lendemain, le condamné Pernot aborda Claude, qui se
295 promenait seul et pensif, laissant les autres prisonniers s'ébattre
dans un petit carré de soleil à l'autre bout de la cour.

– Hé bien ! Claude, à quoi songes-tu ? tu parais triste.

– *Je crains*, dit Claude, *qu'il n'arrive bientôt quelque malheur
à ce bon M.D.*

300 Il y a neuf jours pleins du 25 octobre au 4 novembre. Claude
n'en laissa pas passer un sans avertir gravement le directeur de
l'état de plus en plus douloureux où le mettait la disparition
d'Albin. Le directeur fatigué lui infligea une fois vingt-quatre
heures de cachot, parce que la prière ressemblait trop à une
305 sommation. Voilà tout ce que Claude obtint.

Le 4 novembre arriva. Ce jour-là, Claude s'éveilla avec un
visage serein qu'on ne lui avait pas encore vu depuis le jour où
la décision de M.D. l'avait séparé de son ami. En se levant, il
fouilla dans une espèce de caisse de bois blanc qui était au pied
310 de son lit et qui contenait ses quelques guenilles[1]. Il en tira une
paire de ciseaux de couturière. C'était, avec un volume dépa-
reillé de l'*Émile*[2], la seule chose qui lui restât de la femme qu'il
avait aimée, de la mère de son enfant, de son heureux petit
ménage d'autrefois. Deux meubles bien inutiles pour Claude ;

---

1. Vêtements sales et déchirés.
2. Roman (1762) de Jean-Jacques
Rousseau dans lequel il expose
ses idées sur l'éducation.

BIEN LIRE

L. 305 : Qu'est-ce qu'une « sommation » ?

L. 306 : Relevez les dates, le temps
écoulé. Pourquoi toutes ces indications ?

L. 307 : Pourquoi Claude a-t-il un
« visage serein » ?

315 les ciseaux ne pouvaient servir qu'à une femme, le livre qu'à un lettré. Claude ne savait ni coudre ni lire.

Au moment où il traversait le vieux cloître déshonoré et blanchi à la chaux qui sert de promenoir d'hiver, il s'approcha du condamné Ferrari, qui regardait avec attention les énormes 320 barreaux d'une croisée. Claude tenait à la main la petite paire de ciseaux, il la montra à Ferrari en disant :

– Ce soir je couperai ces barreaux-ci avec ces ciseaux-là.

Ferrari, incrédule, se mit à rire, et Claude aussi.

Ce matin-là, il travailla avec plus d'ardeur qu'à l'ordinaire ; 325 jamais il n'avait fait si vite et si bien. Il parut attacher un certain prix à terminer dans la matinée un chapeau de paille que lui avait payé d'avance un honnête bourgeois de Troyes, M. Bressier.

Un peu avant midi, il descendit sous un prétexte à l'atelier des menuisiers situé au rez-de-chaussée, au-dessous de l'étage 330 où il travaillait. Claude était aimé là comme ailleurs, mais il y entrait rarement. Aussi :

– Tiens ! voilà Claude !

On l'entoura. Ce fut une fête. Claude jeta un coup d'œil rapide dans la salle. Pas un des surveillants n'y était.

335 – Qui est-ce qui a une hache à me prêter, dit-il !

– Pour quoi faire ? lui demanda-t-on.

BIEN LIRE L. 322 : Comment comprenez-vous cette phrase ?

Il répondit :

– C'est pour tuer ce soir le directeur des ateliers.

On lui présenta plusieurs haches à choisir. Il prit la plus
340 petite qui était fort tranchante, la cacha dans son pantalon, et
sortit. Il y avait là vingt-sept prisonniers. Il ne leur avait pas
recommandé le secret. Tous le gardèrent.

Ils ne causèrent même pas de la chose entre eux.

Chacun attendit de son côté ce qui arriverait. L'affaire était
345 terrible, droite et simple. Pas de complication possible. Claude
ne pouvait être ni conseillé, ni dénoncé.

Une heure après, il aborda un jeune condamné de seize ans
qui bâillait dans le promenoir, et lui conseilla d'apprendre à
lire. En ce moment, le détenu Faillette accosta Claude, et lui
350 demanda ce que diable il cachait là dans son pantalon. Claude
dit :

– C'est une hache pour tuer M.D. ce soir.

Il ajouta :

– Est-ce que cela se voit ?
355 – Un peu, dit Faillette.

Le reste de la journée fut à l'ordinaire. À sept heures du soir,
on renferma les prisonniers, chaque section dans l'atelier qui lui
était assigné ; et les surveillants sortirent des salles de travail,

---

BIEN LIRE

**L. 339-342 : Les prisonniers ne posent pas de nouvelles questions.
Pourquoi ?**

L. 346 : Quels sentiments animent les prisonniers ?

comme il paraît que c'est l'habitude, pour ne rentrer qu'après la
360 ronde du directeur.

Claude Gueux fut donc verrouillé comme les autres dans son atelier avec ses compagnons de métier.

Alors il se passa dans cet atelier une scène extraordinaire, une scène qui n'est ni sans majesté ni sans terreur, la seule de ce
365 genre qu'aucune histoire puisse raconter.

Il y avait là, ainsi que l'a constaté l'instruction judiciaire qui a eu lieu depuis, quatre-vingt-deux voleurs, y compris Claude.

Une fois que les surveillants les eurent laissés seuls, Claude se leva debout sur son banc, et annonça à toute la chambrée qu'il
370 avait quelque chose à dire. On fit silence.

Alors Claude haussa la voix et dit :

– Vous savez tous qu'Albin était mon frère. Je n'ai pas assez de ce qu'on me donne ici pour manger. Même en n'achetant que du pain avec le peu que je gagne, cela ne suffirait pas. Albin
375 partageait sa ration avec moi, je l'ai aimé d'abord parce qu'il m'a nourri, ensuite parce qu'il m'a aimé. Le directeur, M.D., nous a séparés, cela ne lui faisait rien que nous fussions ensemble ; mais c'est un méchant homme qui jouit de tourmenter. Je lui ai redemandé Albin. Vous avez vu ? il n'a pas
380 voulu. Je lui ai donné jusqu'au 4 novembre pour me rendre

---

BIEN LIRE

L. 364 : Expliquez « majesté » et « terreur ».
Qu'est-ce qui justifie ces deux mots ?

Albin. Il m'a fait mettre au cachot pour avoir dit cela. Moi, pendant ce temps-là, je l'ai jugé et je l'ai condamné à mort, nous sommes au 4 novembre. Il viendra dans deux heures faire sa tournée. Je vous préviens que je vais le tuer. Avez-vous
385 quelque chose à dire à cela ?

Tous gardèrent le silence.

Claude reprit. Il parla, à ce qu'il paraît, avec une éloquence singulière qui d'ailleurs lui était naturelle. Il déclara qu'il savait bien qu'il allait faire une action violente, mais qu'il ne croyait
390 pas avoir tort. Il attesta la conscience des quatre-vingt-un voleurs qui l'écoutaient. Qu'il était dans une rude extrémité. Que la nécessité de se faire justice soi-même était un cul-de-sac où l'on se trouvait engagé quelquefois. Qu'à la vérité il ne pouvait prendre la vie du directeur sans donner la sienne propre,
395 mais qu'il trouvait bon de donner sa vie pour une chose juste. Qu'il avait mûrement réfléchi, et à cela seulement, depuis deux mois. Qu'il croyait bien ne pas se laisser entraîner par le ressentiment, mais que, dans le cas que cela serait, il suppliait qu'on l'en avertît. Qu'il soumettait honnêtement ses raisons
400 aux hommes justes qui l'écoutaient. Qu'il allait donc tuer M.D., mais que si quelqu'un avait une objection à lui faire il était prêt à l'écouter.

Une voix seulement s'éleva et dit qu'avant de tuer le directeur, Claude devait essayer une dernière fois de lui parler et de le fléchir.
405 — C'est juste, dit Claude, et je le ferai.

Huit heures sonnèrent à la grande horloge. Le directeur devait venir à neuf heures.

Une fois que cette étrange cour de cassation[1] eut en quelque sorte ratifié[2] la sentence qu'il avait portée, Claude reprit toute
410 sa sérénité. Il mit sur une table tout ce qu'il possédait en linge et en vêtements, la pauvre dépouille du prisonnier, et, appelant l'un après l'autre ceux de ses compagnons qu'il aimait le plus après Albin, il leur distribua tout. Il ne garda que la petite paire de ciseaux.

415   Puis il les embrassa tous. Quelques-uns pleuraient, il souriait à ceux-là.

Il y eut dans cette heure dernière des instants où il causa avec tant de tranquillité et même de gaieté, que plusieurs de ses camarades espéraient intérieurement, comme ils l'ont déclaré depuis,
420 qu'il abandonnerait peut-être sa résolution. Il s'amusa même une fois à éteindre une des rares chandelles qui éclairaient l'atelier avec le souffle de sa narine, car il avait de mauvaises habitudes d'éducation qui dérangeaient sa dignité naturelle plus souvent qu'il n'aurait fallu. Rien ne pouvait faire que cet ancien gamin de
425 rues n'eût point par moments l'odeur du ruisseau de Paris.

Il aperçut un jeune condamné qui était pâle, qui le regardait avec des yeux fixes, et qui tremblait, sans doute de l'attente de ce qu'il allait voir.

---

1. Tribunal qui peut annuler un jugement pour qu'une affaire soit examinée au cours d'un nouveau procès.
2. Confirmé.

BIEN LIRE

L. 411 : Qu'est-ce qu'une « dépouille » ?
L. 419 : En quoi cet espoir montre-t-il l'affection que les prisonniers ont pour Claude Gueux ?
L. 424-425 : Que veut dire cette expression ? Hugo reproche-t-il à Claude Gueux ses mauvaises manières ?

– Allons, du courage, jeune homme! lui dit Claude douce-
430 ment, ce ne sera que l'affaire d'un instant.

Quand il eut distribué toutes ses hardes[1], fait tous ses adieux,
serré toutes les mains, il interrompit quelques causeries inquiètes
qui se faisaient çà et là dans les coins obscurs de l'atelier, et il
commanda qu'on se remît au travail. Tous obéirent en silence.

435 L'atelier où ceci se passait était une salle oblongue[2], un long
parallélogramme percé de fenêtres sur ses deux grands côtés, et
de deux portes qui se regardaient à ses deux extrémités. Les
métiers étaient rangés de chaque côté près des fenêtres, les
bancs touchant le mur à angle droit, et l'espace resté libre entre
440 les deux rangées de métiers formait une espèce de longue voie
qui allait en ligne droite de l'une des portes à l'autre et traversait ainsi toute la salle. C'était cette longue voie, assez étroite,
que le directeur avait à parcourir en faisant son inspection; il
devait entrer par la porte sud et ressortir par la porte nord, après
445 avoir regardé les travailleurs à droite et à gauche. D'ordinaire il
faisait ce trajet assez rapidement et sans s'arrêter.

Claude s'était replacé lui-même à son banc et il s'était remis
au travail, comme Jacques Clément[3] se fût remis à la prière.

Tous attendaient. Le moment approchait. Tout à coup on
450 entendit un coup de cloche. Claude dit: «C'est l'avant-quart».

---

1. Vêtements pauvres et usagés.
2. Qui est plus longue que large.
3. Prêtre fanatique (1567-1589) qui assassina le
roi Henri III pendant les guerres de Religion.

BIEN LIRE

**L. 447-448 : Réfléchissez à
cette comparaison. Comment
la comprenez-vous ?**

Alors il se leva, traversa gravement une partie de la salle, et alla s'ac-
couder sur l'angle du premier métier à gauche, tout à côté de la
porte d'entrée. Son visage était parfaitement calme et bienveillant.

Neuf heures sonnèrent. La porte s'ouvrit. Le directeur entra.

455   En ce moment-là, il se fit dans l'atelier un silence de statues.
Le directeur était seul comme d'habitude.

Il entra avec sa figure joviale, satisfaite et inexorable, ne vit
pas Claude qui était debout à gauche de la porte, la main droite
cachée dans son pantalon, et passa rapidement devant les pre-

460   miers métiers, hochant la tête, mâchant ses paroles, et jetant çà
et là son regard banal, sans s'apercevoir que tous les yeux qui
l'entouraient étaient fixés sur une idée terrible.

Tout à coup il se détourna brusquement, surpris d'entendre
un pas derrière lui.

465   C'était Claude qui le suivait en silence depuis quelques instants.

-- Que fais-tu là, toi ? dit le directeur ; pourquoi n'es-tu pas à
ta place ?

Car un homme n'est plus un homme là, c'est un chien, on le

470   tutoie.

Claude Gueux répondit respectueusement :

– C'est que j'ai à vous parler, Monsieur le directeur.

BIEN LIRE

**L. 453 : Que veut dire « bienveillant » ?
En quoi ce mot est-il étonnant dans le contexte ?**

– De quoi ?

– D'Albin.

475 – Encore ! dit le directeur.

– Toujours ! dit Claude.

– Ah ça, reprit le directeur continuant de marcher, tu n'as donc pas eu assez de vingt-quatre heures de cachot ?

Claude répondit en continuant de le suivre :

480 – Monsieur le directeur, rendez-moi mon camarade.

– Impossible.

– Monsieur le directeur, dit Claude avec une voix qui eût attendri le Démon, je vous en supplie, remettez Albin avec moi, vous verrez comme je travaillerai bien. Vous qui êtes libre, 485 cela vous est égal, vous ne savez pas ce que c'est qu'un ami ; mais, moi, je n'ai que les quatre murs de la prison. Vous pouvez aller et venir, vous ; moi, je n'ai qu'Albin. Rendez-le-moi. Albin me nourrissait, vous le savez bien. Cela ne vous coûterait que la peine de dire oui. Qu'est-ce que cela vous fait qu'il y ait 490 dans la même salle un homme qui s'appelle Claude Gueux et un autre qui s'appelle Albin ? Car ce n'est pas plus compliqué que cela. Monsieur le directeur, mon bon monsieur D., je vous supplie vraiment au nom du Ciel !

Claude n'en avait peut-être jamais tant dit à la fois à un geôlier.

BIEN LIRE

L. 494 : Le directeur (M.D.) est-il vraiment un « geôlier » ? Pourquoi ce mot ?

495 Après cet effort, épuisé, il attendit. Le directeur répliqua avec un geste d'impatience :

– Impossible. C'est dit. Voyons, ne m'en reparle plus. Tu m'ennuies.

Et comme il était pressé, il doubla le pas. Claude aussi. En 500 parlant ainsi, ils étaient arrivés tous deux près de la porte de sortie ; les quatre-vingts voleurs regardaient et écoutaient, haletants.

Claude toucha doucement le bras du directeur.

– Mais au moins que je sache pourquoi je suis condamné à mort. Dites-moi pourquoi vous l'avez séparé de moi ?

505 – Je te l'ai déjà dit, répondit le directeur. Parce que.

Et tournant le dos à Claude, il avança la main vers le loquet de la porte de sortie.

À la réponse du directeur, Claude avait reculé d'un pas. Les quatre-vingts statues qui étaient là virent sortir de son pantalon 510 sa main droite avec la hache. Cette main se leva, et avant que le directeur eût pu pousser un cri, trois coups de hache, chose affreuse à dire, assénés dans la même entaille, lui avaient ouvert le crâne. Au moment où il tombait à la renverse, un quatrième coup lui balafra le visage ; puis, comme une fureur lancée ne 515 s'arrête pas court, Claude Gueux lui fendit la cuisse d'un cinquième coup inutile. Le directeur était mort.

BIEN LIRE

L. 503-504 : Claude Gueux est-il à ce moment « condamné à mort » ? Expliquez ces mots.

L. 509-510 : Que met en valeur cette métaphore ?

Alors Claude jeta la hache et cria : *« À l'autre maintenant ! »* L'autre, c'était lui. On le vit tirer de sa veste les petits ciseaux de « sa femme », et, sans que personne ne songeât à l'en empêcher,
520 il se les enfonça dans la poitrine. La lame était courte, la poitrine était profonde. Il y fouilla longtemps et à plus de vingt reprises en criant : « Cœur de damné, je ne te trouverais donc pas ! » Et enfin il tomba baigné dans son sang, évanoui sur le mort.

525 Lequel des deux était la victime de l'autre ?

Quand Claude reprit connaissance, il était dans un lit, couvert de linges et de bandages, entouré de soins. Il avait auprès de son chevet de bonnes sœurs de charité, et de plus un juge d'instruction[1] qui instrumentait[2] et qui lui demanda avec
530 beaucoup d'intérêt :

– *Comment vous trouvez-vous ?*

Il avait perdu une grande quantité de sang ; mais les ciseaux avec lesquels il avait eu la superstition touchante de se frapper avaient mal fait leur devoir, aucun des coups qu'il s'était portés
535 n'était dangereux. Il n'y avait de mortelles pour lui que les blessures qu'il avait faites à M.D.

Les interrogatoires commencèrent. On lui demanda si c'était lui qui avait tué le directeur des ateliers de la prison de Clairvaux.

---

1. Magistrat chargé de procéder « à tous les actes d'information qu'il juge nécessaires à la manifestation de la vérité », dit le Code de procédure pénale.
2. Terme de droit. Ici, le juge réunit les informations nécessaires au procès.

BIEN LIRE

L. 533 : Pourquoi Victor Hugo parle-t-il d'une « superstition » ?

Il répondit : *Oui.* On lui demanda pourquoi. Il répondit : *Parce*
540 *que.*

Cependant, à un certain moment ses plaies s'envenimèrent ;
il fut pris d'une fièvre mauvaise dont il faillit mourir.

Novembre, décembre, janvier et février se passèrent en soins
et en préparatifs. Médecins et juges s'empressaient autour de
545 Claude ; les uns guérissaient ses blessures, les autres dressaient
son échafaud.

Abrégeons. Le 16 mars 1832, il parut, étant parfaitement
guéri, devant la cour d'assises[1] de Troyes. Tout ce que la ville
peut donner de foule était là.

550 Claude eut une bonne attitude devant la cour ; il s'était fait
raser avec soin, il avait la tête nue, il portait ce morne habit des
prisonniers de Clairvaux, mi-parti de deux espèces de gris.

Le procureur du roi[2] avait encombré la salle de toutes les
baïonnettes de l'arrondissement, « afin, dit-il à l'audience, de
555 contenir tous les scélérats qui devaient figurer comme témoins
dans cette affaire ».

Lorsqu'il fallut entamer le débat, il se présenta une difficulté
singulière. Aucun des témoins des événements du 4 novembre
ne voulait déposer[3] contre Claude. Le président les menaça de
560 son pouvoir discrétionnaire. Ce fut en vain. Claude alors leur

---

1. Juridiction chargée de juger les crimes.
2. Magistrat chargé de protéger les intérêts du roi et de
la nation. Il prononce le réquisitoire qui s'oppose à la
plaidoirie de l'avocat qui défend l'accusé.
3. Déclarer officiellement devant la justice ce que l'on
sait.

BIEN LIRE

**L. 544 : « Médecins et
juges » ; en quoi ces
deux professions
s'opposent-elles ?**

commanda de déposer. Toutes les langues se délièrent. Ils dirent ce qu'ils avaient vu.

Claude les écoutait tous avec une profonde attention. Quand l'un d'eux, par oubli, ou par affection pour Claude, 565 omettait des faits à la charge de l'accusé, Claude les rétablissait.

De témoignage en témoignage, la série des faits que nous venons de développer se déroula devant la cour.

Il y eut un moment où les femmes qui étaient là pleurèrent. L'huissier appela le condamné Albin. C'était son tour de dépo-570 ser. Il entra en chancelant ; il sanglotait. Les gendarmes ne purent empêcher qu'il n'allât tomber dans les bras de Claude. Claude le soutint et dit en souriant au procureur du roi : « Voilà un scélérat qui partage son pain avec ceux qui ont faim. » Puis il baisa la main d'Albin.

575 La liste des témoins épuisée, M. le procureur du roi se leva et prit la parole en ces termes : « Messieurs les jurés, la société serait ébranlée jusque dans ses fondements, si la vindicte publique n'atteignait pas les grands coupables comme celui qui, etc. »

Après ce discours mémorable, l'avocat de Claude parla. La 580 plaidoirie contre et la plaidoirie pour firent, chacune à leur tour, les évolutions qu'elles ont coutume de faire dans cette espèce d'hippodrome que l'on appelle un « procès criminel ».

BIEN LIRE

L. 566-567 : Quel a été le rôle de Victor Hugo ?

L. 579 : Que veut dire « mémorable » ? Quel est le ton utilisé ?

L. 582 : Qu'est-ce qu'un « hippodrome » ? Que veut suggérer cette métaphore ?

Claude jugea que tout n'était pas dit. Il se leva à son tour ; il parla de telle sorte qu'une personne intelligente qui assistait à cette audience s'en revint frappée d'étonnement. Il paraît que ce pauvre ouvrier contenait bien plutôt un orateur qu'un assassin. Il parla debout, avec une voix pénétrante et bien ménagée, avec un œil clair, honnête et résolu, avec un geste presque toujours le même, mais plein d'empire. Il dit les choses comme elles étaient, simplement, sérieusement, sans charger ni amoindrir, convint de tout, regarda l'article 296 en face, et posa sa tête dessous. Il eut des moments de véritable haute éloquence qui faisaient remuer la foule, et où l'on se répétait à l'oreille dans l'auditoire ce qu'il venait de dire. Cela faisait un murmure pendant lequel Claude reprenait haleine en jetant un regard fier sur les assistants. Dans d'autres instants, cet homme, qui ne savait pas lire, était doux, poli[1], choisi[2] comme un lettré ; puis, par moments encore, modeste, mesuré, attentif, marchant pas à pas dans la partie irritante de la discussion, bienveillant pour les juges. Une fois seulement, il se laissa aller à une secousse de colère. Le procureur du roi avait établi dans le discours que nous avons cité en entier que Claude Gueux avait assassiné le directeur des ateliers sans voie de fait ni de violence de la part du directeur, par conséquent *sans provocation.*

– Quoi ! s'écria Claude, je n'ai pas été provoqué ! Ah ! oui, vraiment, c'est juste. Je vous comprends. Un homme ivre me donne un coup de poing, je le tue, j'ai été provoqué, vous me faites

---

1. Raffiné dans son langage.
2. Excellent.

grâce, vous m'envoyez aux galères. Mais un homme qui n'est pas ivre et qui a toute sa raison me comprime le cœur pendant quatre ans, m'humilie pendant quatre ans, me pique tous les
610 jours, toutes les heures, toutes les minutes, d'un coup d'épingle à quelque place inattendue pendant quatre ans! J'avais une femme pour qui j'ai volé, il me torture avec cette femme ; j'avais un enfant pour qui j'ai volé, il me torture avec cet enfant ; je n'ai pas assez de pain, un ami m'en donne, il m'ôte mon ami et mon
615 pain. Je redemande mon ami, il me met au cachot. Je lui dis « vous », à lui mouchard, il me dit « tu ». Je lui dis que je souffre, il me dit que je l'ennuie. Alors que voulez-vous que je fasse ? Je le tue. C'est bien, je suis un monstre, j'ai tué cet homme, je n'ai pas été provoqué, vous me coupez la tête. Faites ! – Mouvement
620 sublime, selon nous, qui faisait tout à coup surgir, au-dessus du système de provocation matérielle, sur lequel s'appuie l'échelle mal proportionnée des circonstances atténuantes, toute une théorie de la provocation morale oubliée par la loi.

Les débats fermés, le président fit son résumé impartial et
625 lumineux. Il en résulta ceci : une vilaine vie ; un monstre en effet ; Claude Gueux avait commencé par vivre en concubinage avec une fille publique ; puis il avait volé ; puis il avait tué. Tout cela était vrai.

BIEN LIRE

L. 609 : Combien d'années de prison Claude Gueux devait-il encore faire ?

L. 618-619 : Est-ce bien la conclusion logique du discours de Claude Gueux ? Qu'en pensez-vous ?

Au moment d'envoyer les jurés dans leur chambre, le prési-
630 dent demanda à l'accusé s'il avait quelque chose à dire sur la
position des questions.

– Peu de chose, dit Claude. Voici, pourtant. Je suis un voleur
et un assassin. J'ai volé et j'ai tué. Mais pourquoi ai-je volé ?
pourquoi ai-je tué ? Posez ces deux questions à côté des autres,
635 *messieurs les jurés.*

Après un quart d'heure de délibération, sur la déclaration des
douze Champenois qu'on appelait messieurs les jurés, Claude
Gueux fut condamné à mort.

Il est certain que, dès l'ouverture des débats, plusieurs d'entre
640 eux avaient remarqué que l'accusé s'appelait *Gueux,* ce qui leur
avait fait une impression profonde.

On lut son arrêt à Claude, qui se contenta de dire : *C'est bien.*
Mais pourquoi cet homme a-t-il volé ? Pourquoi cet homme a-t-il
tué ? Voilà deux questions auxquelles ils ne répondent pas.

645 Rentré dans la prison, il soupa gaiement et dit :

– Trente-six ans de faits !

Il ne voulait pas se pourvoir en cassation. Une des sœurs qui
l'avaient soigné vint l'en prier avec larmes. Il se pourvut par
complaisance pour elle. Il paraît qu'il résista jusqu'au dernier
650 instant, car au moment où il signa son pourvoi sur le registre du

BIEN LIRE

L. 640 : Que pensez-vous de cette « remarque » ?
L. 645 : Comment expliquez-vous cette « gaieté » ?

greffe, le délai légal des trois jours était expiré depuis quelques minutes. La pauvre fille reconnaissante lui donna cinq francs. Il prit l'argent et la remercia.

Pendant que son pourvoi pendait, des offres d'évasion lui furent faites par les prisonniers de Troyes, qui s'y dévouaient tous. Il refusa. Les détenus jetèrent successivement dans son cachot par le soupirail un clou, un morceau de fil de fer et une anse de seau. Chacun de ces trois outils eût suffi, à un homme aussi intelligent que l'était Claude, pour limer ses fers. Il remit l'anse, le fil de fer et le clou au guichetier.

Le 8 juin 1832, sept mois et quatre jours après le fait, l'ex-piation arriva, *pede claudo*[1], comme on voit. Ce jour-là, à sept heures du matin, le greffier du tribunal entra dans le cachot de Claude, et lui annonça qu'il n'avait plus qu'une heure à vivre. Son pourvoi était rejeté.

– Allons, dit Claude froidement, j'ai bien dormi cette nuit sans me douter que je dormirais encore mieux la prochaine.

Il paraît que les paroles des hommes forts doivent toujours recevoir de l'approche de la mort une certaine grandeur.

Le prêtre arriva, puis le bourreau. Il fut humble avec le prêtre, doux avec l'autre. Il ne refusa ni son âme, ni son corps.

Il conserva une liberté d'esprit parfaite. Pendant qu'on lui

---

1. Vers du poète latin Horace : « D'un pied boiteux » (*Odes*). L'expression désigne les décisions de justice qui sont longues à venir.

BIEN LIRE

L. 670-671 : Relevez les oppositions binaires dans cette phrase.

coupait les cheveux, quelqu'un parla, dans un coin du cachot, du choléra[1] qui menaçait Troyes en ce moment.

675 – Quant à moi, dit Claude avec un sourire, je n'ai pas peur du choléra.

Il écoutait d'ailleurs le prêtre avec une attention extrême, en s'accusant beaucoup et en regrettant de n'avoir pas été instruit dans la religion.

680 Sur sa demande, on lui avait rendu les ciseaux avec lesquels il s'était frappé. Il y manquait une lame qui s'était brisée dans sa poitrine. Il pria le geôlier de faire porter de sa part ces ciseaux à Albin. Il dit aussi qu'il désirait qu'on ajoutât à ce legs la ration de pain qu'il aurait dû manger ce jour-là.

685 Il pria ceux qui lui lièrent les mains de mettre dans sa main droite la pièce de 5 francs que lui avait donnée la sœur, la seule chose qui lui restât désormais.

À huit heures moins un quart, il sortit de la prison, avec tout le lugubre cortège ordinaire des condamnés. Il était à pied, pâle, 690 l'œil fixé sur le crucifix du prêtre, mais marchant d'un pas ferme.

On avait choisi ce jour-là pour l'exécution, parce que c'était jour de marché, afin qu'il y eût le plus de regards possible sur son passage ; car il paraît qu'il y a encore en France des bourgades à demi sauvages où, quand la société tue un homme, elle s'en vante.

---

1. Grave maladie épidémique qui fit des ravages en France à l'époque du procès de Claude Gueux.

BIEN LIRE

L. 691-694 : Pourquoi les exécutions étaient-elles publiques ?

695   Il monta sur l'échafaud gravement, l'œil toujours fixé sur le gibet du Christ[1]. Il voulut embrasser le prêtre, puis le bourreau, remerciant l'un, pardonnant à l'autre. Le bourreau *le repoussa doucement*, dit une relation. Au moment où l'aide le liait sur la hideuse mécanique, il fit signe au prêtre de prendre la pièce de 700 cinq francs qu'il avait en sa main droite, et lui dit : *Pour les pauvres*. Comme huit heures sonnaient en ce moment, le bruit du beffroi de l'horloge couvrit sa voix, et le confesseur lui répondit qu'il n'entendait pas. Claude attendit l'intervalle de deux coups et répéta avec douceur : *Pour les pauvres*.

705   Le huitième coup n'était pas encore sonné que cette noble et intelligente tête était tombée.

   Admirable effet des exécutions publiques ! Ce jour-là même, la machine étant encore debout au milieu d'eux et pas lavée, les gens du marché s'ameutèrent pour une question de tarif et 710 faillirent massacrer un employé de l'octroi[2]. Le doux peuple que vous font ces lois-là !

   Nous avons cru devoir raconter en détail l'histoire de Claude Gueux, parce que, selon nous, tous les paragraphes de cette histoire pourraient servir de têtes de chapitre au livre où serait 715 résolu le grand problème du peuple au dix-neuvième siècle. Dans cette vie importante il y a deux phases principales, avant

---

1. La Croix.
2. Employé chargé de percevoir les taxes sur les produits qui pénétraient dans une ville.

BIEN LIRE

L. 708 : « Et pas lavée » ; qu'est-ce que cette remarque a d'horrible ?

la chute, après la chute ; et, sous ces deux phases, deux questions, question de l'éducation, question de la pénalité ; et, entre ces deux questions, la société tout entière.

720 Cet homme, certes, était bien né, bien organisé, bien doué, Que lui a-t-il donc manqué ? Réfléchissez.

C'est là le grand problème de proportion dont la solution, encore à trouver, donnera l'équilibre universel : que la société fasse toujours pour l'individu autant que la nature.

725 Voyez Claude Gueux. Cerveau bien fait, cœur bien fait, sans nul doute. Mais le sort le met dans une société si mal faite qu'il finit par tuer.

Qui est réellement coupable ? Est-ce lui ? Est-ce nous ?

Questions sévères, questions poignantes, qui sollicitent à 730 cette heure toutes les intelligences, qui nous tirent tous tant que nous sommes, par le pan de notre habit, et qui nous barreront un jour si complètement le chemin qu'il faudra bien les regarder en face et savoir ce qu'elles nous veulent.

Celui qui écrit ces lignes essaiera de dire bientôt peut-être de 735 quelle façon il les comprend.

Quand on est en présence de pareils faits, quand on songe à la manière dont ces questions nous pressent, on se demande à quoi pensent ceux qui gouvernent, s'ils ne pensent pas à cela.

740 Les Chambres, tous les ans, sont gravement occupées. Il est sans doute très important de désenfler les sinécures[1] et d'éche-

---

1. Emplois pour lesquels on est payé sans avoir beaucoup de travail à fournir.

niller[1] le budget ; il est très important de faire des lois pour que j'aille, déguisé en soldat, monter patriotiquement la garde à la porte de M. le comte de Lobau[2] que je ne connais pas et que je ne veux pas connaître, ou pour me contraindre à parader au carré Marigny, sous le bon plaisir de mon épicier, dont on a fait mon officier.

Il est important, députés ou ministres, de fatiguer et de tirailler toutes les choses et toutes les idées de ce pays dans des discussions pleines d'avortements[3] ; il est essentiel, par exemple, de mettre sur la sellette et d'interroger, et de questionner à grands cris, et sans savoir ce qu'on dit, l'art du dix-neuvième siècle, ce grand et sévère accusé qui ne daigne pas répondre et qui fait bien ; il est expédient[4] de passer son temps, gouvernants et législateurs, en conférences classiques qui font hausser les épaules aux maîtres d'école de la banlieue ; il est utile de déclarer que c'est le drame moderne qui a inventé l'inceste, l'adultère, le parricide, l'infanticide et l'empoisonnement, et de prouver par là qu'on ne connaît ni Phèdre, ni Jocaste, ni Œdipe, ni Médée, ni Rodogune ; il est indispensable que les orateurs politiques de ce pays ferraillent, trois grands jours durant, à propos du budget, pour Corneille et Racine, contre on ne sait qui, et profitent de cette occasion littéraire pour s'enfoncer les uns les

---

1. Enlever les chenilles qui se trouvent sur un arbre. Au figuré : supprimer, alléger.
2. Commandant de la Garde nationale de Paris.
3. Qui n'aboutissent pas.
4. Convenable, utile.

BIEN LIRE

L. 811 : La métaphore se poursuit plus loin. Avec quels termes ?

autres à qui mieux mieux dans la gorge de grandes fautes de
815 français jusqu'à la garde.

Tout cela est important ; nous croyons cependant qu'il pourrait y avoir des choses plus importantes encore.

Que dirait la Chambre, au milieu des futiles démêlés qui
font si souvent colleter[1] le ministère par l'opposition et l'oppo-
820 sition par le ministère, si, tout à coup, des bancs de la Chambre
ou de la tribune publique, qu'importe, quelqu'un se levait et
disait ces sérieuses paroles :

« Taisez-vous, monsieur Mauguin, taisez-vous, monsieur
Thiers[2] ! vous croyez être dans la question, vous n'y êtes pas. La
825 question, la voici : la justice vient, il y a un an à peine, de déchi-
queter un homme à Pamiers avec un eustache[3] ; à Dijon, elle
vient d'arracher la tête à une femme ; à Paris, elle fait, barrière
Saint-Jacques, des exécutions inédites. Ceci est la question.
Occupez-vous de ceci. Vous vous querellerez après pour savoir
830 si les boutons de la Garde nationale doivent être blancs ou
jaunes, et si l'*assurance* est une plus belle chose que la *certitude*.

« Messieurs des centres, messieurs des extrémités, le gros du
peuple souffre ! Que vous l'appeliez "république" ou que vous
l'appeliez "monarchie", le peuple souffre. Ceci est un fait.

---

1. Se battre.
2. Il s'agit des deux porte-parole
de la gauche et de la droite.
3. Couteau de poche à cran d'arrêt.

BIEN LIRE

**L. 831 : En 1831, la Chambre des députés
avait remplacé « certitude » par
« assurance », terme plus évasif, dans
un texte destiné à soutenir la Pologne.
Quel est le ton de cette phrase ?**

835 « Le peuple a faim, le peuple a froid. La misère le pousse au crime ou au vice, selon le sexe. Ayez pitié du peuple, à qui le bagne prend ses fils, et le lupanar[1] ses filles. Vous avez trop de forçats, vous avez trop de prostituées. Que prouvent ces deux ulcères ! Que le corps social a un vice dans le sang. Vous voilà réunis en

840 consultation au chevet du malade ; occupez-vous de la maladie.

« Cette maladie, vous la traitez mal. Étudiez-la mieux. Les lois que vous faites, quand vous en faites, ne sont que des palliatifs[2] et des expédients[3]. Une moitié de vos codes est routine, l'autre moitié empirisme. La flétrissure[4] était une cautérisation[5]

845 qui gangrenait la plaie ; peine insensée que celle qui pour la vie scellait et rivait le crime sur le criminel ! qui en faisait deux amis, deux compagnons, deux inséparables ! Le bagne est un vésicatoire[6] absurde qui laisse résorber, non sans l'avoir rendu pire encore, presque tout le mauvais sang qu'il extrait. La peine

850 de mort est une amputation barbare.

« Or, flétrissure, bagne, peine de mort, trois choses qui se tiennent. Vous avez supprimé la flétrissure, si vous êtes logiques, supprimez le reste. Le fer rouge, le boulet et le couperet, c'étaient les

---

1. Maison de prostitution.
2. Procédés ou médicaments qui atténuent la douleur sans guérir le malade.
3. Ici, moyens qui permettent de se tirer d'affaire sans vraiment résoudre les problèmes.
4. Marque au fer rouge sur l'épaule du condamné. Ce châtiment fut aboli en 1832.
5. Procédé médical qui consiste à brûler les tissus de chair pour désinfecter une plaie.
6. Médicament qui provoque des ampoules sur la peau.

BIEN LIRE

L. 835-850 : Montrez que la société ne propose pas de vrais remèdes aux maux dont elle souffre.

trois parties d'un syllogisme. Vous avez ôté le fer rouge, le bou-
855 let et le couperet n'ont plus de sens. Farinace[1] était atroce ; mais
il n'était pas absurde.

« Démontez-moi cette vieille échelle boiteuse des crimes et
des peines, et refaites-la. Refaites votre pénalité, refaites vos
codes, refaites vos prisons, refaites vos juges. Remettez les lois
860 au pas des mœurs.

« Messieurs, il se coupe trop de têtes par an en France.
Puisque vous êtes en train de faire des économies, faites-en là-
dessus. Puisque vous êtes en verve de suppressions, supprimez
le bourreau. Avec la solde de vos quatre-vingts bourreaux, vous
865 paierez six cents maîtres d'école.

« Songez au gros du peuple. Des écoles pour les enfants, des
ateliers pour les hommes. Savez-vous que la France est un des
pays de l'Europe où il y a le moins de natifs qui sachent lire ?
Quoi ! la Suisse sait lire, la Belgique sait lire, le Danemark sait
870 lire, la Grèce sait lire, l'Irlande sait lire, et la France ne sait pas
lire ? C'est une honte.

« Allez dans les bagnes. Appelez autour de vous toute la
chiourme[2]. Examinez un à un tous ces damnés de la loi
humaine. Calculez l'inclinaison de tous ces profils, tâtez tous ces
875 crânes. Chacun de ces hommes tombés a au-dessous de lui son

---

1. Magistrat romain, né au XVIᵉ siècle,
corrompu et sans pitié.
2. Ensemble des bagnards.

BIEN LIRE

L. 854-856 : Où est, selon Hugo,
l'absurdité ?

L. 857-860 : Qu'est-ce qui montre
la véhémence du ton de Hugo ?

type bestial ; il semble que chacun d'eux soit le point d'intersec-
tion de telle ou telle espèce animale avec l'humanité. Voici le
loup-cervier[1], voici le chat, voici le singe, voici le vautour, voici
l'hyène. Or, de ces pauvres têtes mal conformées, le premier tort
880 est à la nature sans doute, le second à l'éducation. La nature a
mal ébauché, l'éducation a mal retouché l'ébauche. Tournez vos
soins de ce côté. Une bonne éducation au peuple. Développez
de votre mieux ces malheureuses têtes afin que l'intelligence qui
est dedans puisse grandir. Les nations ont le crâne bien ou mal
885 fait selon leurs institutions. Rome et la Grèce avaient le front
haut. Ouvrez le plus que vous pourrez l'angle facial du peuple.

« Quand la France saura lire, ne laissez pas sans direction cette
intelligence que vous aurez développée. Ce serait un autre
désordre. L'ignorance vaut encore mieux que la mauvaise
890 science. Non. Souvenez-vous qu'il y a un livre plus philoso-
phique que le *Compère Mathieu*[2], plus populaire que le
Constitutionnel[3], plus éternel que la charte de 1830[4]. C'est l'écriture sainte. Et ici un mot d'explication. Quoi que vous fassiez, le
sort de la grande foule, de la multitude, de la majorité sera tou-
895 jours relativement pauvre, et malheureux et triste. À elle le dur
travail, les fardeaux à pousser, les fardeaux à traîner, les fardeaux
à porter. Examinez cette balance : toutes les jouissances dans le

---

1. Lynx.
2. Almanach populaire contenant des recettes, des prédictions...
3. Quotidien parisien que lisait la bourgeoisie libérale.
4. Ensemble de lois constitutionnelles qui, après la Révolution
de 1830, modifie la charte de 1814 dans un sens plus libéral.

BIEN LIRE

L. 880-886 : Quel
doit être le rôle de
la société selon
Hugo ?

plateau du riche, toutes les misères dans le plateau du pauvre. Les deux parts ne sont-elles pas inégales ? La balance ne doit-elle pas
900 nécessairement pencher, et l'État avec elle ? Et maintenant dans le lot du pauvre, dans le plateau des misères, jetez la certitude d'un avenir céleste, jetez l'aspiration au bonheur éternel, jetez le paradis, contrepoids magnifique ! Vous rétablissez l'équilibre. La part du pauvre est aussi riche que la part du riche. C'est ce que
905 savait Jésus, qui en savait plus long que Voltaire[1].

« Donnez au peuple qui travaille et qui souffre, donnez au peuple, pour qui ce monde-ci est mauvais, la croyance à un meilleur monde fait pour lui. Il sera tranquille, il sera patient. La patience est faite d'espérance.

910 « Donc ensemencez les villages d'Évangiles. Une Bible par cabane. Que chaque livre et chaque champ produisent à eux deux un travailleur moral.

« La tête de l'homme du peuple, voilà la question. Cette tête est pleine de germes utiles. Employez pour la faire mûrir et venir
915 à bien ce qu'il y a de plus lumineux et mieux tempéré dans la vertu. Tel a assassiné sur les grandes routes qui, mieux dirigé, eût été le plus excellent serviteur de la cité. Cette tête de l'homme du peuple, cultivez-la, défrichez-la, arrosez-la, fécondez-la, éclairez-la, moralisez-la, utilisez-la ; vous n'aurez pas besoin de la couper. »

---

1. Philosophe et écrivain français, mort en 1778 et considéré comme anticlérical.

BIEN LIRE

L. 906-919 : Quelle est l'argumentation de Victor Hugo dans les trois derniers paragraphes ?

Après-texte

POUR COMPRENDRE

Lire

1 La première page d'un roman est chargée de faire passer le lecteur de la réalité à la fiction romanesque. Certains éléments permettent de situer les personnages, les lieux, etc. À partir des deux premières phrases, remplissez le tableau suivant :

Lieu	
Époque	
Nom	
Situation sociale	
Situation familiale	

2 Quel sentiment avez-vous en lisant la première phrase ? Quel trait est souligné par le nom du personnage, par la mention de son statut social et par l'adjectif qualificatif utilisé ?

3 Quels autres détails, dans la suite du paragraphe, confirment votre première impression ?

4 Le narrateur ne se présente pas comme un romancier qui sait tout sur tout. Quels détails le montrent ? Quel est l'effet recherché par l'auteur, Victor Hugo ?

Écrire

5 À partir des éléments du texte que vous venez de lire, imaginez, en une quinzaine de lignes, une scène de la vie quotidienne qui mette en évidence la situation sociale du personnage et de sa famille.

6 À partir de votre réponse à la question précédente, récrivez le texte que vous venez d'imaginer en prenant le point de vue de l'enfant.

Chercher

7 Quel autre roman de Victor Hugo met en scène des gens du peuple ?

8 Quel roman de 1885, dont a été tiré un film en 1993, illustre la misère des ouvriers ?

À SAVOIR

AUTEUR, NARRATEUR, PERSONNAGE

L'auteur est la personne réelle qui écrit le roman. Le personnage principal est ici Claude Gueux. Quant au narrateur, il peut être plus facile pour comprendre cette notion de le comparer à une caméra. Dans le cas d'un récit autobiographique, l'auteur et le narrateur peuvent être confondus : le narrateur – la caméra – dit ce que sait l'auteur qui a vécu les événements. Dans *Claude Gueux*, Victor Hugo n'était pas dans la prison, n'a pas assisté au procès : c'est le narrateur qui prend en charge le récit et qui raconte ce qui s'est passé.

Lire

1 Ce passage est-il descriptif ? Narratif ? Où se situe le discours du narrateur ?

2 Que désigne le pronom « nous » dans la phrase : « Quand nous parlons de progrès [...] » ?

3 Le mot « cellule » a deux sens. Lesquels ?

4 Le mot « exécuter » utilisé dans le contexte peut avoir un sens sinistre. Lequel ?

5 Quelles sont les valeurs du pronom indéfini « on », utilisé cinq fois ?

Écrire

6 Sur le modèle de « Clairvaux, abbaye [...], cellule [...], autel [...] », écrivez une phrase qui respecte le même rythme en trois temps et qui commence par « Le collège... ».

7 Certains portraits peuvent être très suggestifs. Imitez Jules Renard et ses portraits d'animaux publiés dans *Histoires naturelles*:

« La puce : un grain de tabac à ressort. »

« La guêpe : elle finira pourtant par s'abîmer la taille ! »

Chercher

8 À l'aide d'un dictionnaire, dites ce qu'est une « maison centrale ». Chercher l'intrus dans cette liste : Fresnes, La Salpetrière, Fleury-Mérogis.

9 Quel écrivain français du XVIIe siècle a peint des portraits célèbres dont ceux de Ménalque le distrait, de Gnathon l'égoïste, de Cliton le gourmand...

POUR COMPRENDRE

À SAVOIR

LE RÉCIT ET LE DISCOURS

Principalement, les romans et les nouvelles se caractérisent par l'utilisation du passé simple qui présente les événements, par l'imparfait qui décrit et par la troisième personne qui figure le personnage. Ces éléments constituent le récit : il s'agit d'un énoncé « coupé » de la situation d'énonciation.

Le discours est lié à la situation d'énonciation : il utilise la première personne (je, nous) et peut désigner le destinataire (tu, vous). Les temps utilisés principalement sont le présent de l'indicatif et le passé composé. Le présent est utilisé dans les dialogues qui donnent la parole aux personnages mais aussi à l'intérieur même du récit où il révèle la présence du narrateur qui fait un commentaire sur un personnage ou sur une situation. Voyez par exemple, ligne 21 : « Ce n'est pas l'atelier que je blâme ».

POUR COMPRENDRE

LIRE

1 Que veut dénoncer Victor Hugo en signalant que le directeur est à la fois un « guichetier » et un « marchand » ?

2 Relevez les aspects positifs du directeur qui nuancent ce portrait très sombre.

3 Définissez en trois mots le caractère de ce personnage.

4 Relevez les pronoms des première et deuxième personnes du pluriel : que signalent-ils ?

5 Comment comprenez-vous la métaphore du briquet à la fin du passage ? Comment s'appelle une telle métaphore qui se poursuit sur deux phrases ?

Écrire

6 À la place d'une longue description, Victor Hugo aurait pu montrer le directeur en action pour mettre en valeur les facettes de son caractère. Imaginez en une vingtaine de lignes dans quelles scènes de sa vie familiale ou professionnelle il aurait pu apparaître.

9 Avez-vous été victime de l'obstination dont parle Victor Hugo ? Racontez comment vous avez réagi.

Chercher

10 Relevez, dans l'ensemble de la nouvelle, les apparitions du directeur. Sont-elles en accord avec le portrait qui vient d'en être fait ?

11 Le directeur n'a pas d'émotion. Recherchez l'étymologie de ce mot et vous verrez qu'il peut y avoir une contradiction avec « emportement ».

12 Avez-vous eu connaissance de révoltes dans les prisons. Quelle peuvent en être les causes ? comment remédier à cette situation ?

13 Pourquoi les prisonniers travaillent-ils ? Aidez-vous en cherchant dans un dictionnaire la signification du mot « ergothérapie ».

À SAVOIR

LE PORTRAIT

Le portrait est une description qui donne à voir un personnage. De nombreux éléments servent à construire un personnage pour le montrer au lecteur. Ainsi, un personnage peut être connu grâce à ses traits physiques, ses attitudes, ses paroles, ses vêtements ; mais aussi par ce que les autres disent de lui – commentaires du narrateur, paroles des autres personnages – ou encore par des notations précises qui définissent son caractère : M. D. est « mauvais » !

À SAVOIR

POUR COMPRENDRE

LES PAROLES RAPPORTÉES

Comment faire connaître ce que disent les personnages ? Plusieurs possibilités s'offrent au narrateur.

• Le style direct a l'avantage de donner les paroles telles qu'elles ont été dites, mais il rompt la fluidité du récit. Caractéristiques : présence d'un verbe de parole (dire, répondre...) ; d'une typographie spéciale (tirets, guillemets).

• Le style indirect perd le caractère spontané et authentique du style direct mais en revanche il insère les paroles dans le flux du récit. Caractéristiques : présence d'un verbe introducteur suivi d'une conjonction (il dit que...) ; transformation des pronoms (je ⋯⟩ vous), des adverbes de temps et de lieu (hier ⋯⟩ la veille) et des temps (« Pourquoi êtes-vous partie ? » lui demandai-je ⋯⟩ Je lui demandai pourquoi elle *était* partie).

• Le style indirect libre est intégré au récit à tel point qu'il s'en distingue parfois difficilement : on ne sait alors qui parle – le narrateur ou le personnage. Par exemple, voyez ici la seconde phrase : « Mme Moreau dit à son fils qu'elle lui conseillait de s'établir à Troyes, avocat. Étant plus connu dans son pays que dans un autre, il pourrait plus facilement y trouver des partis avantageux » (Flaubert, *L'Éducation sentimentale*).

• Le discours narrativisé : on appelle parfois ainsi une façon particulière de rapporter les paroles qui consiste à utiliser des verbes qui indiquent la prise de parole. « Il lui proposa le mariage. Elle refusa. » Dans cet exemple, le lecteur sait que des paroles ont été échangées, mais il ne sait pas lesquelles. Voyez également cette phrase : « Le directeur de l'atelier fit connaissance avec lui, le reconnut bon ouvrier. »

Ainsi, du style direct au discours narrativisé, le récit est de plus en plus fluide, mais les paroles effectivement prononcées sont de moins en moins connues.

Lire

1 Que suggèrent les mots « numéroté » et « rivé » ? Proposez deux termes équivalant à « rivé ».

2 Les paroles échangées entre Claude Gueux et le directeur sont-elles rendues au discours direct, indirect, indirect libre ?

3 Quel trait de caractère est dénoté par la révélation que fait le directeur au prisonnier de la situation de sa femme ?

4 Comment comprenez-vous l'adverbe « froidement » dans la phrase : « Claude Gueux demanda froidement ce qu'était devenu l'enfant » ?

POUR COMPRENDRE

5 Le verbe « paraître » est utilisé deux fois au début du passage. Qu'est-ce que cela indique sur la position du narrateur ?

6 Dans ce paragraphe, encadrez les passages qui relèvent du récit et ceux qui relèvent d'un commentaire du narrateur sur les personnages.

7 Relevez les mots qui montrent le prestige de Claude Gueux. Distinguez les métaphores.

Écrire

8 Imaginez au style direct le dialogue entre Claude Gueux et le directeur.

9 Créer : avec un partenaire, mettez en scène les deux personnages

10 Pensez-vous, comme le dit Victor Hugo, que l'œil soit « une fenêtre par laquelle on voit les pensées » ?

11 Récrivez le paragraphe qui commence par « Au bout du même espace de temps… » en utilisant la première personne.

12 Reprenez les métaphores qui suggèrent l'ascendant de Claude Gueux sur ses compagnons. Utilisez-les dans un texte d'une dizaine de lignes où vous montrerez le prestige d'un de vos camarades.

Chercher

13 Victor Hugo évite dans toute la nouvelle d'avancer des informations dont il n'est pas sûr. Relevez les occurrences (apparitions) du verbe « paraître ».

14 Chercher les étymologies d'« ascendant », « influence » et « malotru ». Quel est leur point commun ?

15 Vous êtes peintre : si vous aviez à peindre la scène entre le directeur et Claude Gueux, dans quelles attitudes les montreriez-vous ; quel décor choisiriez-vous ? Soyez attentif aux couleurs, aux jeux de lumière…

16 Quel lien unit les mots suivants : « Ascendant, brutalité, attirance, fascination, orgueil, pression » ? Quels sont les intrus ?

17 Claude Gueux est admiré de tous. Les mots commençant par ad- prennent-ils un « d » ou deux « d » ? Quelles sont les exceptions ?

POUR COMPRENDRE

Lire

1 Quel est le champ sémantique de « charge » ?

2 Retrouvez l'opposition signalée par les mots grenier/prison. Le terme commun est « travaillait ». Qu'est-ce que cela suggère ?

3 À partir de l'idée de départ « Claude Gueux était grand mangeur » et de la conclusion donnée dans la dernière phrase (ligne 126), retrouvez l'idée intermédiaire qui complète l'argumentation.

4 Claude Gueux est taciturne et parle peu. Dans quel autre passage l'a-t-on déjà remarqué ?

5 « Claude avait donc habituellement faim dans la prison de Clairvaux » : cette phrase vous paraît-elle traduire l'émotion de Victor Hugo ? Quel est le ton employé ? Pourquoi ?

Écrire

6 Décrivez l'attitude d'un de vos camarades particulièrement glouton.

7 Imaginez un dialogue où le directeur des ateliers se moque de l'appétit de Claude Gueux.

Chercher

8 Lisez le portrait de Gnathon dans *Les Caractères* de La Bruyère. En quoi ce personnage est-il à la fois amusant et odieux ?

9 Dans quelle pièce de Molière trouve-t-on cette phrase : « Il faut manger pour vivre et non vivre pour manger » : *L'Avare, Les Fourberies de Scapin, Les Précieuses ridicules* ?

10 Parmi les termes suivants, quels sont ceux qui sont neutres et ceux qui ont un sens péjoratif : « fine gueule », « gastronome », « goinfre », « amateur », « glouton », « vorace », « gourmet ».

À SAVOIR

CHAMP LEXICAL ET CHAMP SÉMANTIQUE

Le champ lexical permet de définir le thème d'un passage par le recensement des mots – noms, verbes, adjectifs... – qui s'y rapportent. Ainsi, dans ce passage, le champ lexical de la faim est signalé par « mangeur, estomac, nourriture », etc.

Le champ sémantique d'un mot couvre l'ensemble des significations que ce mot peut avoir. Par exemple, le directeur est « dur » (voir ligne 41) dans le sens d'*insensible* ; plus loin, ligne 895, la foule doit accomplir un « dur travail », c'est-à-dire un travail *pénible*. On pourrait ajouter l'idée de *résistance* dans l'expression familière « un dur à cuire » ou même de *surdité* dans « dur d'oreille ».

POUR COMPRENDRE

Lire

1 Quel indice temporel signale au lecteur que le récit va aborder une nouvelle phase ?

2 Quels autres indices avaient ponctués le récit jusqu'à ce passage ?

3 Pourquoi Victor Hugo a-t-il reculé le premier dialogue jusqu'à ce moment ?

4 Expliquez la répétition de la conjonction de coordination « et » dans la phrase « Cet homme, et son pain, et sa viande, importunaient Claude » (lignes 133-134).

5 Quelle est l'utilité de la phrase « Les autres prisonniers mangeaient joyeusement » (ligne 129) ?

6 Comment Victor Hugo met-il en évidence l'opposition entre les deux hommes ?

7 Malgré leurs différences, les deux hommes sont très unis. Quelle répétition le montre ?

Écrire

8 « Un jeune homme, pâle, blanc, faible » présente une énumération de trois adjectifs. Écrivez une phrase avec un autre groupe ternaire de trois adjectifs.

9 Victor Hugo ne décrit pas Claude Gueux à son travail. Montrez-le tenaillé par la faim.

10 Transposez le dialogue entre Claude et Albin au style indirect.

Chercher

11 Quelle règle de grammaire est illustrée par la phrase : « Cet homme, et son pain, et sa viande, importunaient Claude » ?

12 Le compagnon de Claude se nomme Albin. Quel est le sens étymologique de ce prénom ? Pensez au nom « aube ».

13 Qu'est-ce qui distingue le « pouvoir temporel » du « pouvoir spirituel » ? Quel type de pouvoir ont le Pape ou le roi ?

À SAVOIR

LE GROUPE BINAIRE (deux temps) ET LE GROUPE TERNAIRE (trois temps)

La phrase, pour être énergique et exercer une forte impression sur le lecteur, peut obéir aux lois du rythme. Ainsi, cette phrase a deux temps constitués, en plus, du même nombre de syllabes : « Amitié de père à fils / plutôt que de frère à frère » (7 syllabes).

Le groupe ternaire est particulièrement expressif, surtout si les termes sont organisés selon une gradation : « Il avait au fond du cœur une haine secrète, envieuse, implacable. »

À SAVOIR

LE LANGAGE DU CINÉMA

1. Le plan

La notion fondamentale est celle de plan. Le plan se définit par les « col-lures » entre le plan qui précède et celui qui suit. Il peut être plus ou moins long (quelques secondes ou plusieurs minutes).

On distingue : les plans à la mesure du décor : le plan général (PG) situe le décor de l'action dans un paysage plus vaste qui l'englobe : il abonde dans les westerns ; le plan d'ensemble (PE) montre dans son intégralité le cadre de l'action ; les personnages y sont un peu « perdus » ; le plan de demi-ensemble (PDE) met l'accent sur le personnage, sur le mouvement de l'action.

Les plans à la mesure du personnage montrent le personnage en pied (plan moyen), cadrés à mi-cuisses (plan américain), cadrés à la ceinture (plan rap-proché), ou cadrés au visage (gros plan ou très gros plan).

2. Les angles de prises de vues

Les angles de prises de vues sont déterminés par la position de la caméra par rapport au sujet. Le cadrage est habituellement à l'horizontale.

Dans la plongée, le sujet est placé plus bas que la caméra ; la contre-plongée est fondée sur une position inverse. La première écrase le personnage, la seconde le valorise.

3. Les mouvements de la caméra

Le panoramique est un mouvement de la caméra qui pivote sur son axe. On parle de pano GD (de gauche à droite), HB (de haut en bas)... Le panoramique peut lier deux objets – le personnage et ce qu'il regarde, par exemple.

Le travelling permet à la caméra de suivre le sujet : on distingue le travelling avant, arrière, et le travelling latéral. Le travelling avant va à la recherche d'un élément qu'il met en valeur ; le travelling arrière élargit le champ de vision et remet le sujet dans son contexte.

La trajectoire est un combiné de panoramique et de travelling parfois réalisé à l'aide d'une grue.

Le zoom est un travelling optique : la caméra ne bouge pas, l'objectif est modifié.

POUR COMPRENDRE

Lire

1 Repérez les indices temporels. Pourquoi sont-ils si nombreux ?

2 Quel est l'effet des répétitions ?

3 Comment comprenez-vous « il paraît » dans la phrase : « Il paraît qu'il souffrait » (ligne 189).

4 Qu'est-ce qu'un « quartier » dans le contexte de la prison ?

5 Pourquoi l'indication « sans Albin » (ligne 207) est-elle repoussée en fin de phrase ?

6 Quel détail montre que Claude sait se dominer ?

7 Pourquoi le narrateur précise-t-il que ce sont les témoins qui ont vu la main de Claude trembler ?

8 Comment Claude marque-t-il son respect ?

9 Quel est l'effet produit par la brève phrase « Le directeur passa » (ligne 125) ?

10 Quelle phrase révèle bien le caractère du directeur ?

11 Pourquoi Claude Gueux ne réplique-t-il pas ?

Écrire

12 Claude Gueux tremble en entendant la réponse du guichetier. Amplifiez cette scène en utilisant trois des verbes suivants : flageoler, frissonner, se recroqueviller, tituber, chanceler, vaciller.

13 En une quinzaine de lignes, imaginez la lettre qu'un détenu écrit à sa famille dans laquelle il raconte la détresse de Claude Gueux.

14 Même question que ci-dessus, mais le détenu relate l'affrontement verbal de Claude et du directeur.

15 Albin a disparu. Imaginez en une vingtaine de lignes ses réactions, les interventions qu'il peut faire auprès du directeur ou des gardiens.

16 Le directeur fait part à son adjoint de sa décision de séparer les deux hommes. Imaginez ses arguments.

17 Imaginez la réponse du directeur-adjoint qui n'est pas de l'avis de son supérieur.

Chercher

18 Vous souvenez-vous de la ration de Claude Gueux ?

19 À quel endroit le caractère du directeur a-t-il été précisé ?

20 Vous êtes réalisateur. Comment filmez-vous la confrontation entre les deux hommes ?

21 Albin est comparé à un chien. Connaissez-vous des expressions où il est question d'animaux ?

Lire

1 En quoi les deux premiers paragraphes s'opposent-ils ? Quel mot marque cette opposition ?

2 Relevez dans le premier paragraphe (lignes 241-246) les termes à tonalité négative ou restrictive.

3 Pourquoi Victor Hugo écrit-il « Nous sommes forcés de dire… » (ligne 241) ? Y a-t-il d'autres expressions du même ordre dans le passage ?

4 Claude Gueux ne laisse rien transparaître de ses sentiments : comment Victor Hugo met-il ce trait de caractère en valeur ?

5 Pourquoi le narrateur, n'explique-t-il pas cette « espèce de chose folle » (ligne 254) que fait Claude Gueux ?

6 On s'attend à ce que quelque chose se passe. Qu'est-ce qui produit cette attente ?

7 À quel moment le narrateur se détache-t-il de son récit pour faire un commentaire sur ce qui se déroule ?

LE SON AU CINÉMA

On distingue les sons selon leur nature : bruits divers, musique, paroles.

Ils varient selon leur intensité et leurs relations entre eux : plusieurs sons peuvent se chevaucher, de même qu'un son peut ne pas être synchronisé avec l'image et arriver avec un léger temps d'avance.

Le sons ont un certain statut selon qu'ils appartiennent ou non à l'histoire racontée à l'écran.

Ainsi le son est « in » lorsqu'il a sa source visible à l'écran (un poste de radio par exemple), « hors-champ » lorsqu'il a sa source dans un endroit qui n'est pas visible à l'écran (la radio est dans une autre pièce) ; il est dit « off » lorsqu'il n'appartient pas à l'histoire : musique ajoutée au moment du mixage, commentaire d'un narrateur.

Écrire

8 Reprenez les idées du deuxième paragraphe (lignes 246-250) en une seule phrase. Commencez par : « Bien qu'il fût plus doux que jamais… ».

9 « Plusieurs voulurent partager leur ration avec lui, il refusa en souriant » : transformez cette phrases en utilisant une subordonnée de concession.

Chercher

10 Retrouvez l'origine étymologique de « sinistre ».

11 Vous transcrivez ce passage pour la radio. Veillez à rendre les sons, les commentaires et la musique expressifs.

POUR COMPRENDRE

À SAVOIR

LE TEMPS

Le récit ne raconte pas toujours tout. Il importe de distinguer le temps du récit, qui se caractérise par un nombre de lignes ou de pages, et le temps de l'histoire qui relève d'une durée approximative en heures, jours ou mois.

Un même moment de l'histoire – un accident, par exemple, qui se déroule en quelques secondes – peut prendre plus ou moins de place dans le récit : deux lignes ou trois pages.

L'ellipse élimine tout ce qui n'apparaît pas indispensable au narrateur. Le résumé dit l'essentiel sous une forme condensée (en employant parfois l'imparfait de répétition). La scène par contre se rapproche de la réalité vécue : c'est le cas d'un passage dialogué. Le commentaire de l'auteur qui ne correspond à aucun événement de l'histoire occupe dans le récit plus de place que dans l'histoire. On peut appeler pause le rapport entre un moment assez bref de l'histoire et un passage correspondant, plus long, du récit, telle la description.

Lire

1 La date et les noms sont précisés. Pourquoi ?

2 Pourquoi les paroles du guichetier sont-elles rendues au discours indirect ?

3 « Je crains qu'il n'arrive bientôt quelque malheur à ce bon M. D. » Comment s'appelle la figure de style ici utilisée ?

4 Dans ce passage, où se situent les ellipses, les résumés, les scènes ?

Écrire

5 Vous êtes peintre et vous préparez le tableau de la scène où le directeur et Claude Gueux sont face-à-face : décrivez les attitudes des personnages. Représentez la scène avec vos camarades. Prenez une photographie.

6 D'une façon générale, a-t-on raison d'insister ? Avez-vous déjà été déplaisant et importun ?

Chercher

7 Quelles nuances trouvez-vous entre ces expressions : « regarder en face », « toiser », « regarder de haut », « dévisager », « jauger » ?

	Pause	Résumé	Ellipse	Commentaire	Scène
Récit	+	–	0	+	=
Histoire	–	+	+	0	=

POUR COMPRENDRE

Lire

1 En quoi le fait que Claude Gueux possède *L'Émile* est-il poignant ?

2 Complétez le tableau suivant :

La femme aimée		
		L'Émile
		lire

3 Comment comprenez-vous les paroles de Claude Gueux : « Ce soir je couperai ces barreaux-ci avec ces ciseaux-là » (ligne 322) ?

4 Quel est l'intérêt du détail concernant le « chapeau de paille » ? Quelles sont ses connotations ?

5 Comment la scène dans l'atelier des menuisiers est-elle rendue d'une façon dramatique ?

6 Victor Hugo met en valeur plusieurs moments de la journée. Lesquels ?

7 En quoi la remarque « Le reste de la journée fut à l'ordinaire » (ligne 356) est-elle étonnante ?

8 Claude Gueux conseille à un jeune prisonnier d'apprendre à lire (lignes 347-349). Pourquoi ? Victor Hugo conseille aux hommes politiques d'ouvrir des écoles pour fermer les prisons. Comment comprenez-vous cette phrase ?

Écrire

9 Imaginez à quelle occasion Claude Gueux a pu se procurer un exemplaire de *L'Émile*.

10 Personne ne commente la décision de Claude Gueux. Imaginez en une quinzaine de lignes qu'un prisonnier veuille l'en dissuader.

11 Le passage couvre presque toute la journée. Quels moments ont été omis ? Imaginez une scène qui se déroule pendant un de ces moments et qui montre la solidarité des prisonniers.

Chercher

12 Le vieux cloître est « déshonoré » (ligne 317) : pourquoi ? Qu'était Clairvaux avant d'être une prison ?

13 Quel point commun et quelle différence y a-t-il entre un menuisier, un ébéniste et un charpentier ?

14 Vous êtes metteur en scène et vous devez transposez au théâtre ce passage qui comporte plusieurs lieux distincts. Comment allez-vous faire ?

POUR COMPRENDRE

À SAVOIR

LA DESCRIPTION

La description suit en général un développement dans l'espace que marquent des connecteurs spatiaux divers : au nord, à droite, plus loin, derrière... Elle a pour fonction principale de créer une impression de réalité, même si les lieux sont nés dans l'imagination du romancier. Mais elle peut aussi évoquer les états d'âme d'un personnage et émouvoir le lecteur.

	Texte descriptif	Texte narratif
verbes	d'état ou assimilés	d'action
sujets	inanimés	animés
adjectifs	nombreux	
adverbes		nombreux
temps	imparfait	passé simple
développement	spatial	chronologique
connecteurs	Au-dessus de, près de ...	Puis, le lendemain...

Repérer le mouvement de la description :
point de départ /point d'arrivée ; sens de la description : horizontal/vertical ; points de focalisation ; sa précision (adjectifs, relatives ...) ; ses choix (ce qui est décrit – plus ou moins – et ce qui ne l'est pas) ; espace (intérieur/extérieur ; clos/ouvert) ; rôle de la lumière /des couleurs /des volumes ; description statique ou en mouvement ; place accordée au(x) personnage(s) : où apparaissent-ils ? pourquoi ?

Lire

1 Le discours indirect, qui reprend les attendus d'un jugement, complète la tirade précédente. Liez les arguments aux phrases correspondantes (L. 391-402) :

1. La vie peut obliger chacun à agir de la sorte

2. Claude est ouvert aux réfutations possibles

3. Claude ne peut agir autrement

4. Mourir pour une bonne cause est une mort acceptable

5. La décision prise est rationnelle, indépendante des passions

6. La décision prise l'a été en connaissance de cause

a. « il avait mûrement réfléchi depuis deux mois »

b. « il trouvait bon de donner sa vie pour une chose juste »

c. « il soumettait ses raisons... »

d. « il était dans une rude extrémité »

e. « la nécessité de se faire justice ...quelquefois »

f. « il croyait bien ne pas se laisser entraîner par le ressentiment »

2 En quoi la scène est-elle « extraordinaire » (ligne 363) ?

3 « Cela ne lui faisait rien que nous fussions ensemble » (lignes 377-378) : quel est le temps et le mode employé ? Sont-ils naturels dans la bouche de Claude Gueux ?

4 Le discours de Claude suit un plan rigoureux. Lequel ?

5 Claude Gueux est souvent taciturne. À quel moment fait-il preuve d'un peu de gaieté ?

Écrire

6 Complétez ces phrases qui reprennent l'argumentation de Claude :
Albin était mon frère, mais le directeur .... parce que .... Alors je .... mais il .... Donc je .... et je vais bientôt ....

7 Faites un dessin à l'aide de la description de l'atelier.

8 Décrivez un objet oralement à un camarade pour qu'il devine de quoi il s'agit.

9 Dessinez sur une feuille une figure géométrique complexe constituée de rectangles, cercles... Décrivez-la soigneusement à un camarade pour qu'il la dessine à son tour sans l'avoir vue.

Chercher

10 Qu'est-ce qu'une cour d'assises ? un tribunal correctionnel ? de quels types d'affaires jugent ces juridictions ?

11 Quelle différences y a-t-il entre une plaidoirie et un réquisitoire ?

12 Le mot « gamin » (ligne 424) est utilisé ici pour la première fois dans un texte littéraire et ne fut pas apprécié de tous. Victor Hugo écrira dans *Les Misérables* :
« La gaminerie parisienne est presque une caste. On pourrait dire : n'en est pas qui veut.
Ce mot, *gamin*, fut imprimé pour la première fois et arriva de la langue populaire dans la langue littéraire en 1834. C'est dans un opuscule intitulé *Claude Gueux* que ce mot fit son apparition. Le scandale fut vif. Le mot a passé. »
Quelle différence faites-vous entre « enfant », « gamin », « poupon », « morveux », « chérubin », « rejeton » ?

13 Jacques Clément a été régicide. De quoi ont été accusés Ravaillac, La Voisin, Damier, Calas ? N'hésitez pas à vous servir du dictionnaire pour répondre.

POUR COMPRENDRE

Lire

1 Quel est l'effet produit par les trois premières phrases ?

2 Comment comprenez-vous : « sa figure joviale, satisfaite, inexorable » (ligne 457) ?

3 Quel est le plan de ce passage ?

4 Quels sont les arguments de Claude Gueux pour convaincre le directeur ?

5 Comment grandit l'intensité du « suspense » ?

Écrire

6 Les prisonniers sont tutoyés par le directeur. Évoquez une situation au cours de laquelle vous vous êtes senti gêné d'être tutoyé. Comment avez-vous réagi ?

7 Imaginez en une quinzaine de lignes qu'un incident retarde le projet de Claude Gueux.

8 Si, pour faire une séquence filmée de ce passage, vous suivez exactement les indications de Victor Hugo, quels plans utiliseriez-vous ? Quel sera l'effet produit ?

Chercher

9 Claude Gueux a tué le directeur : selon la loi, s'agit-il d'un meurtre, d'un assassinat, d'un crime ?

10 Le passage peut aisément être transposé au théâtre. Distribuez les rôles et assurez la mise en scène : déplacement des personnages, attitudes, présence des prisonniers, usage d'accessoires divers ...

11 Au cinéma, les scènes de violence sont nombreuses. Choisissez-en une et analysez-la en vous demandant pourquoi le réalisateur a-t-il choisi tel ou tel angle de vue, tel jeu d'ombre et de lumière, etc.

À SAVOIR

LE POINT DE VUE (ou focalisation)

Dans un récit, le narrateur peut raconter l'histoire selon trois points de vue. Dans le premier cas, le narrateur sait tout : non seulement ce que font tous les personnages, mais aussi ce qu'ils pensent ainsi que les événements passés et même l'avenir. Le narrateur est omniscient (il sait tout). On parle en ce cas d'une focalisation zéro.

Dans la focalisation interne le narrateur réduit son point de vue à ce que sait et voit un seul personnage.

La focalisation externe est semblable à une caméra qui filmerait les personnages sans les connaître, sans pouvoir dire ce qu'ils ressentent.

Lire

1 Expliquez cette phrase : « Il n'y avait de mortelles pour lui que les blessures qu'il avait faites à M. D. » (lignes 535-536).

2 Que pensez-vous de l'attitude du procureur ?

3 En quoi Claude Gueux vous apparaît-il comme un personnage extraordinaire ?

4 Commentez la réplique de Claude : « Voilà un scélérat qui partage son pain avec ceux qui ont faim » (lignes 572-573).

Écrire

5 Imaginez différents titres qui rendent comptent du procès de Claude Gueux.

6 Vous êtes journaliste et vous rendez compte des débats dans un article destiné à un journal favorable à la peine de mort ; puis dans un journal qui défend son abolition.

7 Imaginez la première page d'un journal régional qui annonce la mort du directeur. L'information est entourée de diverses nouvelles locales.

Chercher

8 Quel est le rôle du juge d'instruction ? du procureur ? du président du tribunal ?

9 Quelle différence entre un suspect, un inculpé, un condamné, un justiciable ?

10 Quels sont les différentes rubriques d'un journal (informations de politique intérieure, etc.)

11 En relation avec votre programme d'histoire, choisissez un événement. Rédigez des articles, imaginez des témoignages...

À SAVOIR

L'ÉCRITURE JOURNALISTIQUE

On appelle titre informatif un titre qui donne brièvement l'essentiel de l'information contenue dans l'article. Le titre informatif répond à deux ou trois questions (du type : quoi ? qui ? où ? pourquoi ?...). Le titre incitatif est plus allusif, il frappe l'imagination du lecteur et lui donne envie d'acheter le journal et de lire l'article.

Il importe dans un article de distinguer trois niveaux d'écriture : l'information qui présente l'événement, l'explication de celui-ci et le commentaire, plus général, qui permet en rappelant des faits passés, par exemple, de mieux comprendre l'information.

Par ailleurs, plusieurs sources d'énonciation peuvent être présentes : le discours du journaliste, celui des témoins, celui des institutions – représentés par un policier, un ministre...

POUR COMPRENDRE

Lire

1 Que veut véritablement Claude Gueux ? Veut-il sauver sa tête ?

2 Sur quel rythme souvent utilisé par Victor Hugo sont données les diverses qualités de Claude Gueux : « doux, poli, choisi » (ligne 596), « modeste mesuré, attentif » (lignes 597-598) ?

3 Dans le paragraphe « – Quoi ! je n'ai pas été provoqué... » comment Claude veut-il convaincre les juges qu'il a été provoqué ? Par des arguments ? Par des exemples ?

4 Retrouvez des groupes ternaires dans la phrase qui commence par « Mais un homme qui n'est pas ivre... »

5 Par quels moyens Claude Gueux arrive-t-il à rendre la hargne dont a fait preuve le directeur envers lui ?

6 Quelle est la faute de Claude selon le président ? Que pensez-vous des arguments avancés ?

7 Relevez les passages qui révèlent l'ironie de Victor Hugo.

Écrire

8 Poursuivez le discours du procureur du roi. Trouvez deux ou trois arguments qui incitent les juges à condamner Claude Gueux .

9 Écrivez le discours de l'avocat de l'accusé. Vous évoquerez sa vie difficile puis vous montrerez qu'il n'a pas une âme de criminel et qu'il a été poussé à bout par le directeur.

10 Faites parler l'un des témoins, à votre choix.

11 Condamneriez-vous Claude Gueux ? Donnez vos raisons.

12 En quoi peut-on dire que Claude Gueux oppose la loi à la morale ?

Chercher

13 Qu'est-ce que la préméditation ?

14 Qu'est-ce que le Code Pénal ? Quand a-t-il été créé ?

15 Qu'est-ce que la légitime défense ? Est-elle autorisée par la loi ?

À SAVOIR

LE TEXTE ARGUMENTATIF

Dans un texte argumentatif, le locuteur défend une opinion (la thèse) et cherche à convaincre l'interlocuteur ou le destinataire du discours par des arguments illustrés par des exemples.

Les arguments sont souvent liés par des connecteurs logiques (conjonctions de coordination et de subordination...) qui donnent au discours l'aspect d'un raisonnement difficile à contredire.

Lire

1 Pourquoi Claude Gueux refuse-t-il de s'évader ?

2 Qu'a d'émouvant le geste de la religieuse qui donne cinq francs à Claude ?

3 Que pensez-vous de la réflexion de Claude en apprenant que son pourvoi était rejeté ?

4 Pourquoi Claude fait-il porter à Albin les ciseaux de sa femme ?

5 « Il ne voulait pas se pourvoir [...] pour elle » (lignes 647-649) : quelles conjonctions de subordination permettraient de lier ces trois phrases ?

Écrire

6 Imaginez le discours qu'une des religieuses tient à Claude Gueux pour le convaincre de se pourvoir en cassation.

7 Vous êtes le maire de Troyes. Vous prononcez un discours dans lequel vous demandez au Roi de ne pas faire exécuter Claude Gueux sur la place publique, mais plutôt dans l'enceinte de la prison. Quels sont vos arguments ?

Chercher

8 Qui sont ces prisonniers célèbres : le masque de fer, le comte de Monte-Christo, le marquis de Sade, Fabrice del Dongo, Meursault ?

9 À quelle date a eu lieu en France la dernière exécution publique ?

10 Qui a inventé « la hideuse mécanique » ? À quelle époque ? Dans quel but ?

11 Connaissez-vous la signification de ces expressions latines : *Dura lex, sed lex ; omnia vincit amor ; verba volane, scriptura manent ; homo homini lupus ; tu quoque, fili ; vae victis ; Castigat ridendo mores ; Qui bene amat, bene castigat ; Magister dixit ; in vino veritas ; Vulnerant omnes, ultima necat ; panem et circenses.*

À SAVOIR

LE DISCOURS RHÉTORIQUE

Le discours selon les règles de rhétorique classique commence par un *exorde* chargé d'attirer la bienveillance de l'auditoire et de l'émouvoir. Il est suivi par la *narration* qui rend compte des faits (différents selon l'orateur : l'avocat n'insistera pas sur certains points, en mettra d'autres en évidence) ; l'argumentation, comme l'exorde, fait vibrer la corde sensible (à Rome, l'avocat exhibait le poignard ensanglanté, montrait les enfants de la victime... à Athènes par contre, un huissier était chargé d'imposer silence à l'orateur qui s'éternisait à faire larmoyer les juges...). La digression était une partie mobile, s'intercalant entre deux parties... Elle était facultative et permettait à l'orateur de briller en faisant l'éloge des grands hommes, de la justice...

POUR COMPRENDRE

Lire

1 Relevez l'ironie de Victor Hugo dans le premier paragraphe du passage.

2 Relevez les pronoms de la première personne du singulier et du pluriel : qui désignent-ils ?

3 Quel passage montre que le problème est réellement important ?

L'HUMOUR, L'IRONIE, LA PARODIE

L'humour consiste à dégager d'une réalité qui n'est pas forcément drôle des aspects amusants. Ainsi lorsque Claude Gueux dit en apprenant que son exécution est proche : « J'ai bien dormi cette nuit sans me douter que je dormirais encore mieux la nuit prochaine ».

L'ironie dit le contraire de ce que l'on attend. L'interlocuteur doit deviner ce qui est sous-entendu. Victor Hugo ironise en écrivant : « Le doux peuple que vous font ces lois-là ! »

Le sarcasme est une moquerie qui peut être vive. Notez le ton sarcastique de Hugo (lignes 742-747) qui se moque de son « épicier » dont on a voulu faire un « officier ».

La parodie imite un texte pour s'en moquer.

4 Victor Hugo se moque de la Chambre des députés qui, en 1834, hésitait à financer les théâtres accusés d'immoralité. Comment s'exprime cette moquerie ?

Écrire

5 Ces pages se présentent comme un discours prononcé devant un assemblée : apprenez-en des passages et dites-les à voix haute devant vos camarades après avoir noté à quels moments il faut élever la voix, faire des pauses, parler plus ou moins lentement...

6 Avec ironie, vous opposerez ce que fait habituellement l'administration du collège (ou vos parents, ou un camarade) à ce que vous, vous pensez qu'il est bon de faire.

Chercher

7 Que savez-vous du « problème du peuple au XIXe siècle » ? Relisez au besoin des extraits de *Germinal* d'Émile Zola.

8 À quelles pièces fait allusion Victor Hugo en citant Phèdre, Jocaste, Œdipe, Médée, Rodogune (lignes 809-810) ?

9 Qui a inventé le « drame moderne » ? Voyez dans un manuel d'histoire littéraire les pages consacrées à la pièce de Victor Hugo, *Hernani*.

Lire

1 Que reproche Victor Hugo aux députés ? Comment les prend-il à partie ?

2 Quel est le point de départ de sa démonstration ?

3 Pourquoi donne-t-il trois exemples (Pamiers, Dijon, Paris) presque semblables ?

4 Retrouvez les termes qui constituent la métaphore filée de la maladie.

Écrire

5 Organisez une représentation du procès de Claude Gueux en distribuant les rôles suivants : le président ; les juges ; le procureur ; les jurés ; l'accusé, les avocats (défense et parties civiles) ; les témoins, à charge (défavorables à l'accusé) et à décharge (favorables à l'accusé). Préparez soigneusement les arguments et les dépositions des uns et des autres.

6 Imaginez un fait-divers. Rédigez un article de 20 lignes pour un quotidien. Puis, imaginez le procès qui suit l'affaire en question. Rédigez le discours du procureur et celui de l'avocat

7 La religion permet au pauvre d'être patient et d'espérer un monde meilleur dans l'au-delà. Qu'en pensez-vous ?

8 Dans un développement composé, vous vous interrogerez sur le sens de la peine de mort.

9 Dans un développement composé, vous direz quel est le rôle de l'éducation dans la prévention des crimes et délits.

Chercher

10 Quels pays infligent-ils encore la peine de mort ? Quand a-t-elle été abolie en France ?

À SAVOIR

PRÉSENTER SON OPINION

Votre opinion – votre thèse – va s'exprimer en deux ou trois paragraphes. Chaque paragraphe comprend un argument clairement exprimé dès la première phrase suivi d'un exemple et éventuellement d'une concession (introduite par *bien que ; cependant ; dans certains cas, il est vrai que...*) qui nuance l'argument que vous avez donné. Il vous est possible de consacrer un paragraphe à la réfutation (à la critique) d'un argument de votre adversaire. Les paragraphes sont liés par des relations logiques (cause, conséquence...) clairement exprimées elles aussi.

Une introduction aura présenté le sujet et annoncé votre plan. La conclusion énonce fermement votre opinion et élargit le sujet.

I) LA PEINE DE MORT

On s'est longtemps plus soucié des moyens de donner la mort (pendaison, décapitation, noyade, bûcher…) que de légitimer le droit qu'ont les sociétés de la donner. Les justifications de la peine de mort peuvent se ranger en trois catégories.

La première a pour fonction l'élimination du coupable. La peine de mort met hors d'état de nuire le criminel que la société juge dangereux et dont elle se protège ainsi d'une manière définitive.

La deuxième vise l'intimidation. La peine est exemplaire et les délinquants tentés par des actes criminels doivent être effrayés par la menace de la peine capitale.

La dernière considère qu'une faute morale a été commise et qu'il convient de la réparer : le coupable doit expier pour que l'équilibre moral rompu soit rétabli.

Par ailleurs, le système des peines, qui a progressivement aboli les châtiments corporels puis le bagne, a affirmé son intention d'amender le criminel, de transformer sa personnalité, de le réadapter à la société en vue de sa réinsertion. Il est bien évident que la peine capitale s'oppose à ce principe.

Victor Hugo (1802-1885)

Préface au *Dernier Jour d'un condamné* (1829)
Hugo met en parallèle la barbarie de la société qui exécute froidement et celle de l'assassin. *Le Dernier Jour d'un condamné* fait parler un condamné à mort que le lecteur suit dans ses pensées jusqu'au moment fatal.

La peine de mort

Ceux qui jugent et qui condamnent disent la peine de mort nécessaire. D'abord, – parce qu'il importe de retrancher de la communauté sociale un membre qui lui a déjà nui et qui pourrait lui nuire encore. S'il ne s'agissait que de cela, la prison perpétuelle suffirait. À quoi bon la mort ? Vous objectez qu'on peut s'échapper d'une prison ? Faites mieux votre ronde. Si vous ne croyez pas à la solidité des barreaux de fer, comment osez-vous avoir des ménageries ?

Pas de bourreau où le geôlier suffit.

Mais, reprend-on, – il faut que la société se venge, que la société punisse. – Ni l'un, ni l'autre. Se venger est de l'individu, punir est de Dieu.

La société est entre deux. Le châtiment est au-dessus d'elle, la vengeance au-dessous. Rien de si grand et de si petit ne lui sied. Elle ne doit pas « punir pour se venger » ; elle doit corriger pour améliorer. Transformez de cette façon la formule des criminalistes, nous la comprenons et nous y adhérons.

Reste la troisième et dernière raison, la théorie de l'exemple. – Il faut faire des exemples ! il faut épouvanter par le spectacle du sort réservé aux criminels ceux qui seraient tentés de les imiter ! – Voilà bien à peu près textuellement la phrase éternelle dont tous les réquisitoires des cinq cents parquets de France ne sont que des variations plus ou moins sonores. Eh bien ! nous nions d'abord qu'il y ait exemple. Nous nions que le spectacle des supplices produise l'effet qu'on en attend. Loin d'édifier le peuple, il le démoralise, et ruine en lui toute sensibilité, partant toute vertu. Les preuves abondent, et encombreraient notre raisonnement si nous voulions en citer. Nous signalerons pourtant un fait entre mille, parce qu'il est le plus récent. Au moment où nous écrivons, il n'a que dix jours de date. Il est du 5 mars, dernier jour du carnaval. À Saint-Pol, immédiatement après l'exécution d'un incendiaire nommé Louis Camus, une troupe de masques est venue danser autour de l'échafaud encore fumant. Faites donc des exemples ! le mardi gras vous rit au nez.

Jean-Jacques Rousseau (1712-1778)

Du Contrat social (1762)

Rousseau établit dans le *Contrat social* les règles qui permettent aux hommes de vivre en société. Celui qui viole les lois se met hors la société.

D'ailleurs tout malfaiteur attaquant le droit social devient par ses forfaits rebelle et traître à la patrie, il cesse d'en être membre en violant ses lois, et même il lui fait la guerre. Alors la conservation de l'État est incompatible avec la sienne, il faut qu'un des deux périsse, et quand on fait mourir le coupable, c'est moins comme Citoyen que comme ennemi. Les procédures, le jugement sont les preuves et la déclaration qu'il a rompu le traité social, et par conséquent qu'il n'est plus membre de l'État. Or, comme il s'est reconnu tel, tout au moins par son séjour, il en doit être retranché par l'exil comme infracteur du pacte, ou par la mort comme ennemi public ; car un tel ennemi n'est pas une personne morale, c'est un homme, et c'est alors que le droit de la guerre est de tuer le vaincu.

Joseph de Maistre (1753-1821)

Les Soirées de Saint-Pétersbourg (1821)

Dans cette œuvre, Joseph de Maistre combat les principes philosophiques qui ont mené à la Révolution et défend l'autorité du Roi et de l'Église. Le mal est la preuve de l'indignité des hommes qui doivent expier par la mort (maladie, châtiment, guerre…) la souillure qu'ils ont apportée à la création divine.

Un signal lugubre est donné ; un ministre abject de la justice vient frapper à sa porte et l'avertir qu'on a besoin de lui ; il part, il arrive sur une place publique couverte d'une foule pressée et palpitante. On lui jette un empoisonneur, un parricide, un sacrilège : il le saisit, il l'étend, il le lie sur une croix horizontale, il lève le bras : alors il se fait un silence horrible, et l'on n'entend plus que le cri des os qui éclatent sous la barre, et les hurlements de la victime. Il la détache ; il la porte sur une roue : les membres fracassés s'enlacent dans les rayons ; la tête pend ; les cheveux se hérissent, et la bouche, ouverte comme une fournaise, n'envoie plus par intervalles qu'un petit nombre de paroles sanglantes qui appellent la mort. Il a fini : le cœur lui bat, mais c'est de joie ; il s'applaudit, il dit dans son cœur : Nul ne roue mieux que moi. Il descend : il tend sa main souillée de sang, et la justice y jette de loin quelques pièces d'or qu'il emporte à travers une double haie d'hommes écartés par l'horreur. Il se met à table, et il mange ; au lit ensuite, et il dort. Et le lendemain, en s'éveillant, il songe à tout autre chose qu'à ce qu'il a fait la veille. Est-ce un homme ? Oui : Dieu le reçoit dans ses temples et lui permet de prier. Il n'est pas criminel ; cependant aucune langue ne consent à dire, par exemple, qu'il est vertueux, qu'il est honnête homme, qu'il est estimable, etc. Nul éloge moral ne peut lui convenir ; car tous supposent des rapports avec les autres hommes, et il n'en a point.

Et cependant toute grandeur, toute puissance, toute subordination repose sur l'exécuteur : il est l'horreur et le lien de l'association humaine.

Otez du monde cet agent incompréhensible ; dans l'instant même l'ordre fait place au chaos, les trônes s'abîment et la société disparaît.

Henri-Clément Sanson (1799-?)

Sept Générations d'exécuteurs 1688-1847 (1863)
La famille Sanson a fourni sept générations de bourreaux. En 1847, le dernier exécuteur de la justice est licencié. Il se consacre alors à l'écriture.

La peine de mort a fait son temps. En la supprimant, on affranchira de devoirs pénibles une classe de fonctionnaires pour lesquels j'élèverai d'autant mieux la voix que j'ai cessé d'en faire partie. On rendra à l'estime de leurs concitoyens des hommes qui n'en ont démérité que sous l'empire du plus illogique des préjugés. Vieillard, j'ai conservé sur ce sujet toutes les idées de ma jeunesse et de mon âge mûr. Il est absurde de faire supporter à l'exécuteur seul tout le fardeau de la répulsion qu'inspire la peine de mort.

Ce fonctionnaire est-il plus coupable que le magistrat du parquet dont le devoir a été de provoquer la condamnation et d'éclairer la conscience du jury ?

Est-il plus coupable que les jurés qui, appelés à opter entre un non qui contenait la vie et un oui qui renfermait la mort, ont dû se décider pour cette syllabe meurtrière ?

Est-il plus coupable que les membres de la Cour qui, en prononçant la sentence de mort, lui ont donné force de loi ; que la Chambre de cassation qui, en rejetant le pourvoi, a enlevé au condamné son dernier espoir ?

Oserai-je dire qu'il soit plus coupable enfin que le souverain qui, tenant encore la vie de ce malheureux suspendue dans une goutte d'encre au bec de la plume, comprend qu'il ne peut exercer le plus belle prérogative de sa couronne et repousse le recours en grâce ?

À Dieu ne plaise qu'en parlant ainsi je prétende élever un blâme jusqu'à ces tuteurs de la société qui accomplissent, avec une noble fermeté, et, toujours en étouffant leurs propres sentiments, d'austères devoirs.

À Dieu ne plaise que j'aie l'ambition d'établir entre eux et l'humble exécuteur des volontés de la loi une assimilation irrévérencieuse. Je ne veux qu'indiquer le lien logique qui lui impose une si rude tâche, et, par conséquent, l'inconséquence du préjugé qui le frappe d'une réprobation contre laquelle il devrait être protégé par les exigences mêmes de l'intérêt social.

Donc, respect aux hommes qui, en haut comme en bas de l'échelle sociale, remplissent avec honneur la mission qui leur a été dévolue …

Robert Badinter (né en 1928), Garde des Sceaux, ministre de la Justice

Assemblée nationale – Séance du 17 septembre 1981
Les députés votent en 1981 l'abolition de la peine de mort. C'est le résultat d'un long combat mené, entre autres, par Robert Badinter.
Loi 81-908 du 9 octobre 1981 : « Article 1 : La peine de mort est abolie ». L'article 3 précise que dans tous les textes de loi où la peine de mort est encourue, ce châtiment est remplacé par la réclusion criminelle à perpétuité.

Il n'est pas difficile d'ailleurs, pour qui veut s'interroger loyalement, de comprendre pourquoi il n'y a pas entre la peine de mort et l'évolution de la criminalité sanglante ce rapport dissuasif que l'on s'est si souvent appliqué à chercher sans trouver sa source ailleurs, et j'y reviendrai dans un instant. Si vous y réfléchissez simplement, les crimes les plus terribles, ceux qui saisissent le plus la sensibilité publique – et on le comprend – ceux qu'on appelle les crimes « atroces » sont commis le plus souvent par des hommes emportés par une pulsion de violence et de mort qui abolit jusqu'aux défenses de la raison. À cet instant de folie, à cet instant de passion meurtrière, l'évocation de la peine, qu'elle soit de mort ou qu'elle soit perpétuelle, ne trouve pas sa place chez l'homme qui tue.

[...]

Quant aux autres, les criminels dits « de sang-froid », ceux qui pèsent les risques, ceux qui méditent le profit et la peine, ceux-là, jamais vous ne les retrouverez dans des situations où ils risquent l'échafaud. Truands raisonnables, profiteurs du crime, criminels organisés, proxénètes, trafiquants, maffiosi, jamais vous ne les trouverez dans ces situations-là. Jamais ! (Applaudissements sur les bancs des socialistes et des communistes.)

Ceux qui interrogent les annales judiciaires, car c'est là où s'inscrit dans sa réalité la peine de mort, savent que dans les trente dernières années vous n'y trouvez pas le nom d'un « grand » gangster, Si l'on peut utiliser cet adjectif en parlant de ce type d'hommes. Pas un seul « ennemi public » n'y a jamais figuré. En fait, ceux qui croient à la valeur dissuasive de la peine de mort méconnaissent la vérité humaine. La passion criminelle n'est pas plus arrêtée par la peur de la mort que d'autres passions ne le sont qui, celles-là, sont nobles.

Et si la peur de la mort arrêtait les hommes, vous n'auriez ni grands soldats, ni grands sportifs. Nous les admirons, mais ils n'hésitent pas devant la mort. D'autres, emportés par d'autres passions, n'hésitent pas non plus. C'est seulement pour la peine de mort qu'on invente l'idée que la peur de la mort retient l'homme dans ses passions extrêmes. Ce n'est pas exact.

[…]

Voici la première évidence : dans les pays de liberté l'abolition est presque partout la règle ; dans les pays où règne la dictature, la peine de mort est partout pratiquée.

Ce partage du monde ne résulte pas d'une simple coïncidence, mais exprime une corrélation. La vraie signification politique de la peine de mort, c'est bien qu'elle procède de l'idée que l'État a le droit de disposer du citoyen jusqu'à lui retirer la vie. C'est par là que la peine de mort s'inscrit dans les systèmes totalitaires.

C'est par là même que vous retrouvez, dans la réalité judiciaire, et jusque dans celle qu'évoquait M. Forni, la vraie signification de la peine de mort. Dans la réalité judiciaire, qu'est-ce que la peine de mort ? Ce sont douze hommes et femmes, deux jours d'audience, l'impossibilité d'aller jusqu'au fond des choses et le droit, ou le devoir, terrible, de trancher, en quelques quarts d'heure, parfois quelques minutes, le problème si difficile de la culpabilité, et, au-delà, de décider de la vie ou de la mort d'un autre être. Douze personnes, dans une démocratie, qui ont le droit

La peine de mort

de dire : celui-là doit vivre, celui-là doit mourir ! Je le dis : cette conception de la justice ne peut être celle des pays de liberté, précisément pour ce qu'elle comporte de signification totalitaire.

[...]

Je sais qu'aujourd'hui – et c'est là un problème majeur – certains voient dans la peine de mort une sorte de recours ultime, une forme de défense extrême de la démocratie contre la menace grave que constitue le terrorisme. La guillotine, pensent-ils, protégerait éventuellement la démocratie au lieu de la déshonorer.

Cet argument procède d'une méconnaissance complète de la réalité. En effet l'Histoire montre que s'il est un type de crime qui n'a jamais reculé devant la menace de mort, c'est le crime politique. Et, plus spécifiquement, s'il est un type de femme ou d'homme que la menace de la mort ne saurait faire reculer, c'est bien le terroriste. D'abord, parce qu'il l'affronte au cours de l'action violente ; ensuite parce qu'au fond de lui, il éprouve cette trouble fascination de la violence et de la mort, celle qu'on donne, mais aussi celle qu'on reçoit. Le terrorisme qui, pour moi, est un crime majeur contre la démocratie, et qui, s'il devait se lever dans ce pays, serait réprimé et poursuivi avec toute la fermeté requise, a pour cri de ralliement, quelle que soit l'idéologie qui l'anime. le terrible cri des fascistes de la guerre d'Espagne : « Viva la muerte ! », « Vive la mort ! » Alors, croire qu'on l'arrêtera avec la mort, c'est illusion.

Allons plus loin. Si, dans les démocraties voisines, pourtant en proie au terrorisme, on se refuse à rétablir la peine de mort, c'est, bien sûr, par exigence morale, mais aussi par raison politique. Vous savez en effet, qu'aux yeux de certains et surtout des jeunes, l'exécution du terroriste le transcende, le dépouille de ce qu'a été la réalité criminelle de ses actions, en fait une sorte de héros qui aurait été jusqu'au bout de sa course, qui, s'étant engagé au service d'une cause, aussi odieuse soit-elle, l'aurait servie jusqu'à la mort. Dès lors, apparaît le risque considérable, que précisément les hommes d'État des démocraties amies ont pesé, de voir se lever dans l'ombre, pour un terroriste exécuté, vingt jeunes gens égarés. Ainsi, loin de le combattre, la peine de mort nourrirait le terrorisme. (Applaudissements sur les bancs des socialistes et sur quelques bancs des communistes.)

À cette considération de fait, il faut ajouter une donnée morale : utiliser contre les terroristes la peine de mort, c'est, pour une démocratie, faire siennes les valeurs de ces derniers. Quand, après l'avoir arrêté, après lui avoir extorqué des correspondances terribles, les terroristes, au terme d'une parodie dégradante de justice, exécutent celui qu'ils ont enlevé, non seulement ils commettent un crime odieux, mais ils tendent à la démocratie le piège le plus insidieux, celui d'une violence meurtrière qui, en forçant cette démocratie à recourir à la peine de mort, pourrait leur permettre de lui donner, par une sorte d'inversion des valeurs, le visage sanglant qui est le leur.

Cette tentation, il faut la refuser, sans jamais, pour autant, composer avec cette forme ultime de la violence, intolérable dans une démocratie, qu'est le terrorisme.

II) LES GUEUX

Les marginaux ont toujours intéressé les romanciers et les poètes, qui ont su rendre leur goût pour la liberté, leur joie de vivre sans frein, leur verve picaresque. Panurge nous fait rire, les escroqueries des amis de Manon Lescaut nous égaient, Vautrin nous fait à peine frémir. Le poète reconnaissait en eux un frère, un exilé de la société figée.

C'est avec Balzac, Hugo et Zola que le bouffon, le saltimbanque dont les pitreries amusent les riches, dévoilent enfin leurs visages : ils sont fils de la misère, ils côtoient la honte et la mort.

Arthur Rimbaud (1854-1891)

Jeune poète de génie, Rimbaud n'a pas 16 ans lorsqu'il écrit *Les Effarés*. Il s'attache avec tendresse à rendre le ravissement des enfants devant le pain, spectacle qui leur fait un instant oublier leur misère.

LES EFFARÉS

Noirs dans la neige et dans la brume,
Au grand soupirail qui s'allume,
Leurs culs en rond,
À genoux, cinq petits, – misère ! –
Regardent le Boulanger faire
Le lourd pain blond.
Ils voient le fort bras blanc qui tourne

Les gueux

La pâte grise et qui l'enfourne
Dans un trou clair.
Ils écoutent le bon pain cuire.
Le Boulanger au gras sourire
Grogne un vieil air.
Ils sont blottis, pas un ne bouge,
Au souffle du soupirail rouge
Chaud comme un sein.
Quand pour quelque médianoche,
Façonné comme une brioche
On sort le pain,

Quand, sous les poutres enfumées,
Chantent les croûtes parfumées
Et les grillons,
Que ce trou chaud souffle la vie,
Ils ont leur âme si ravie
Sous leurs haillons,
Ils se ressentent si bien vivre,
Les pauvres Jésus pleins de givre,
Qu'ils sont là tous,
Collant leurs petits museaux roses
Au treillage, grognant des choses
Entre les trous,
Tout bêtes, faisant leurs prières
Et repliés vers ces lumières
Du ciel rouvert,
Si fort, qu'ils crèvent leur culotte
Et que leur chemise tremblote
Au vent d'hiver.

Victor Hugo (1802-1885)

Les Misérables (1862)

Gavroche, enfant des rues, symbolise le peuple parisien, plein d'ironie mordante et d'un esprit de révolte prêt à s'enflammer. Ici, Gavroche vient de recueillir deux enfants affamés.

[...] En continuant de monter la rue, il avisa, toute glacée sous une porte cochère, une mendiante de treize ou quatorze ans, si court-vêtue qu'on voyait ses genoux. La petite commençait à être trop grande fille pour cela. La croissance vous joue de ces tours. La jupe devient courte au moment où la nudité devient indécente.

« Pauvre fille ! dit Gavroche. Ça n'a même pas de culotte. Tiens, prends toujours ça. »

Et, défaisant toute cette bonne laine qu'il avait autour du cou, il la jeta sur les épaules maigres et violettes de la mendiante, où le cache-nez redevint châle. La petite le considéra d'un air étonné et reçut le châle en silence. À un certain degré de détresse, le pauvre, dans sa stupeur, ne gémit plus du mal et ne remercie plus du bien.

Cela fait :

« Brrr ! » dit Gavroche, plus frissonnant que saint Martin, qui, lui du moins, avait gardé la moitié de son manteau.

Sur ce brrr ! l'averse, redoublant d'humeur, fit rage. Ces mauvais ciels-là punissent les bonnes actions.

« Ah çà, s'écria Gavroche, qu'est-ce que cela signifie ? Il repleut ! Bon Dieu, si cela continue, je me désabonne.

Et il se remit en marche.

« C'est égal, reprit-il en jetant un coup d'œil à la mendiante qui se pelotonnait sous le châle, en voilà une qui a une fameuse pelure. »

Et, regardant la nuée, il cria

« Attrapé ! »

Les deux enfants emboîtaient le pas derrière lui.

Comme ils passaient devant un de ces épais treillis grillés qui indiquent la boutique d'un boulanger, car on met le pain comme l'or derrière des grillages de fer, Gavroche se tourna

« Ah çà, mômes, avons-nous dîné ?

— Monsieur, répondit l'aîné, nous n'avons pas mangé depuis tantôt ce matin.

— Vous êtes donc sans père ni mère ? reprit majestueusement Gavroche.

— Faites excuse, monsieur, nous avons papa et maman, mais nous ne savons pas où ils sont.

— Des fois, cela vaut mieux que de le savoir, dit Gavroche qui était un penseur.

— Voilà, continua l'aîné, deux heures que nous marchons, nous avons cherché des choses au coin des bornes, mais nous ne trouvons rien.

— Je sais, fit Gavroche. C'est les chiens qui mangent tout.

Il reprit après un silence

« Ah ! nous avons perdu nos auteurs. Nous ne savons plus ce que nous en avons fait. Ça ne se doit pas, gamins. C'est bête d'égarer comme ça des gens d'âge. Ah çà ! il faut licher pourtant. »

Du reste il ne leur fit pas de questions. Être sans domicile, quoi de plus simple. L'aîné des deux mômes, presque entièrement revenu à la prompte insouciance de l'enfance, fit cette exclamation :

« C'est drôle tout de même. Maman qui avait dit qu'elle nous mènerait chercher du buis bénit le dimanche des Rameaux.

— Neurs répondit Gavroche.

— Maman, reprit l'aîné, est une dame qui demeure avec mamselle Miss.

— Tanfiûte », repartit Gavroche.

Cependant il s'était arrêté, et depuis quelques minutes il tâtait et fouillait toutes sortes de recoins qu'il avait dans ses haillons. Enfin il releva la tête d'un air qui ne voulait qu'être satisfait, mais qui était en réalité triomphant.

« Calmons-nous, les momignards. Voici de quoi souper pour trois.

Et il tira d'une de ses poches un sou. Sans laisser aux deux petits le temps de s'ébahir, il les poussa tous deux devant lui dans la boutique du boulanger, et mit son sou sur le comptoir en criant :

« Garçon ! cinq centimes de pain. »

Émile Zola (1840-1902)

L'Assommoir (1877)
Zola analyse dans *L'Assommoir* la déchéance des Coupeau, famille réduite à la misère depuis que le père, ouvrier zingueur, est tombé d'un toit, ne peut plus travailler et sombre dans l'alcoolisme.

CHAPITRE X

Deux années s'écoulèrent, pendant lesquelles ils s'enfoncèrent de plus en plus. Les hivers surtout les nettoyaient. S'ils mangeaient du pain au beau temps, les fringales arrivaient avec la pluie et le froid, les danses devant le buffet, les dîners par cœur, dans la petite Sibérie de leur cambuse. Ce gredin de décembre entrait chez eux par-dessous la porte, et il apportait tous les maux, le chômage des ateliers, les fainéantises engourdies des gelées, la misère noire des temps humides. Le premier hiver, ils firent encore du feu quelquefois, se pelotonnant autour du poêle, aimant mieux avoir chaud que de manger ; le second hiver, le poêle ne se dérouilla seulement pas, il glaçait la pièce de sa mine lugubre de borne de fonte. Et ce qui leur cassait les jambes, ce qui les exterminait, c'était par-dessus tout de payer leur terme. Oh ! le terme de janvier, quand il n'y avait pas un radis à la maison et que le père Boche présentait la quittance ! Ça soufflait davantage de froid, une tempête du Nord. M. Marescot arrivait, le samedi suivant, couvert d'un bon paletot, ses grandes pattes fourrées dans des gants de laine ; et il avait toujours le mot d'expulsion à la bouche, pendant que la neige tombait dehors, comme si elle leur préparait un lit sur le trottoir, avec des draps blancs. Pour payer le terme, ils auraient vendu de leur chair. C'était le terme qui vidait le buffet et le poêle. Dans la maison entière, d'ailleurs, une lamentation montait.

On pleurait à tous les étages, une musique de malheur ronflant le long de l'escalier et des corridors. Si chacun avait eu un mort chez lui, ça n'aurait pas produit un air d'orgues aussi abominable. Un vrai jour du jugement dernier, la fin des fins, la vie impossible, l'écrasement du pauvre monde... Un ouvrier, le maçon du cinquième, avait volé chez son patron...

Au milieu de cette existence enragée par la misère, Gervaise souffrait encore des faims qu'elle entendait râler autour d'elle. Ce coin de la maison était le coin des pouilleux, où trois ou quatre ménages semblaient s'être donné le mot pour ne pas avoir du pain tous les jours. Les portes avaient beau s'ouvrir, elles ne lâchaient guère souvent des odeurs de cuisine. Le long du corridor, il y avait un silence de crevaison, et les murs sonnaient creux, comme des ventres vides. Par moments, des danses s'élevaient, des larmes de femmes, des plaintes de mioches affamés, des familles qui se mangeaient pour tromper leur estomac. On était là dans une crampe au gosier générale, bâillant par toutes ces bouches tendues ; et les poitrines se creusaient, rien qu'à respirer cet air, où les moucherons eux-mêmes n'auraient pas pu vivre, faute de nourriture.

Victor Hugo (1802-1885)

Les Contemplations (1855)

Dans le livre III des *Contemplations,* qui retracent son évolution spirituelle, Victor Hugo évoque dans le poème « Melancholia » la misère des humbles.

MELANCHOLIA

Écoutez. Une femme au profil décharné,
Maigre, blême, portant un enfant étonné,
Est là qui se lamente au milieu de la rue.
La foule, pour l'entendre, auprès d'elle se rue.
Elle accuse quelqu'un, une autre femme, ou bien
Son mari. Ses enfants ont faim. Elle n'a rien.
Pas d'argent. Pas de pain. À peine un lit de paille.
L'homme est au cabaret pendant qu'elle travaille.
Elle pleure et s'en va. Quand ce spectre a passé,
Ô penseurs, au milieu de ce groupe amassé
Qui vient de voir le fond d'un cœur qui se déchire,
Qu'entendez-vous toujours ? Un long éclat de rire.

Cette fille au doux front a cru peut-être, un jour,
Avoir droit au bonheur, à la joie, à l'amour.
Mais elle est seule, elle est sans parents, pauvre fille !
Seule ! – N'importe ! elle a du courage, une aiguille,
Elle travaille, et peut gagner dans son réduit,
En travaillant le jour, en travaillant la nuit,
Un peu de pain, un gîte, une jupe de toile.
Le soir, elle regarde en rêvant quelque étoile,
Et chante au bord du toit tant que dure l'été.
Mais l'hiver vint. Il fait bien froid, en vérité,
Dans ce logis mal clos tout en haut de la rampe ;
Les jours sont courts, il faut allumer une lampe ;
L'huile est chère, le bois est cher, le pain est cher.
Ô jeunesse ! printemps ! aube ! en proie à l'hiver !
La faim passe bientôt la griffe sous la porte,
Décroche un vieux manteau, saisit la montre, emporte
Les meubles, prend enfin quelque humble bague d'or ;

Tout est vendu ! L'enfant travaille et lutte encor ;
Elle est honnête ; mais elle a, quand elle veille,
La misère, démon, qui lui parle à l'oreille.
L'ouvrage manque, hélas ! cela se voit souvent.

Que devenir ? Un jour, ô jour sombre ! elle vend
La pauvre croix d'honneur de son vieux père, et pleure.
Elle tousse, elle a froid. Il faut donc qu'elle meure !
À dix-sept ans ! grand Dieu ! mais que faire ?... – Voilà
Ce qui fait qu'un matin la jeune fille alla
Droit au gouffre, et qu'enfin à présent ce qui monte
À son front, ce n'est plus la pudeur, c'est la honte.
Hélas ! et maintenant, deuils et pleurs éternels !
C'est fini. Les enfants, ces innocents cruels,
La suivent dans la rue avec des cris de joie.
Malheureuse ! elle traîne une robe de soie,
Elle chante, elle rit... ah ! pauvre âme aux abois !
Et le peuple sévère, avec sa grande voix,
Souffle qui courbe un homme et qui brise une femme,
Lui dit quand elle vient : C'est toi ? va-t'en infâme !

Jules Vallès (1832-1885)

Il est l'auteur de la célèbre trilogie dont les trois volumes s'intitulent *L'Enfant, Le Bachelier, L'Insurgé*. Exilé après la Commune, Vallès est resté préoccupé par la question sociale. Dans cet article du journal *Gil Blas* du 30 mars 1882, il décrit la vie des chiffonniers parisiens en utilisant leurs vocabulaire (« casserole » : gobelet de métal ; « biffin » : chiffonnier ; « mannequin » : espèce de hotte).

Ils n'ont ni l'envie, ni le temps d'être des malfaiteurs, il faut chiffonner et boire.

Si, par hasard, l'un d'eux a quelque chose sur la conscience, il le cache au fond de sa hotte et fourre des loques par-dessus. Les Biffins se contentent de grappiller leur vie grain à grain ; grain de chasselas à six sous le litre, qu'on écrase sur le guichet lorsque la borne a donné.

Ils boivent encore plus d'eau-de-vie que de vin.

Un sou la goutte d'ordinaire. Deux sous la fine champagne ; on leur en verse plein la casserole ; c'est le bouillon de ceux qui n'ont pas de marmite.

La casserole est grande comme un petit pot à beurre ; ils en vident dix, douze ou quinze dans leur journée, et quand ils sont cinglés ils s'abattent, prennent leur mannequin pour traversin et cuvent leur alcool. Ils se réveillent pour rattacher leur oreiller à leurs épaules, et aller chercher dans la poussière, la fange ou la neige, de quoi se soûler de nouveau.

Parfois ils ne se réveillent pas. Combien en a-t-on ramassés que l'ivresse avait étouffés, près d'un chat mort ou d'un chien crevé !

Quelques-uns se tuent ! Le vent de la nuit les a dégrisés et refroidis ; ils se redressent en trébuchant, sous le ciel plein d'étoiles gelées, sur la route déserte.

Il leur vient à l'esprit un souvenir du passé ou la peur de l'avenir, ils arrachent la courroie de la hotte, la nouent à un moignon d'arbre mort et se pendent. Ou bien l'envie leur prend de laver dix ans de promenade affreuse dans l'immondice, d'éprouver, ne fût-ce qu'une fois, la sensation de l'eau fraîche dans le pli des jointures et la crasse des poils : ceux-là se noient.

Mais le suicide n'a jamais été prémédité.

Toujours penchés sur le tas d'ordures quand ils travaillent, sur la casserole quand ils boivent, ils ne voient pas au-delà du rayon de leur lanterne. Et ils ne peuvent comparer leur misère au bonheur des autres.

Il faut, pour qu'ils se tuent, que la folie de l'alcool s'en mêle, qu'ils aient trop liché, ou que, malades, ils aient peur de ne pouvoir plus boire !

Ceux que le mal empoigne sont bien rares.

Beaucoup de ces avaleurs de tord-boyaux en connaissent le goût depuis un demi-siècle ; un demi-siècle ! entendez-vous ! Il y a un demi-siècle que ces patriarches chinent et boivent, et ils ne semblent disposés à lâcher ni leur verre, ni leur crochet.

C'est le grand air ! Ils ont beau faire ; le vent les rafraîchit, la pluie les lave et le soleil les bronze, tous ces pirates d'eau salée ou d'eau croupie, loups de mer ou chacals des rues.

Ils flânent heureux dans leurs savates boueuses. Pas de loyer à payer : la plaine immense.

Pas de frais de toilette : la guenille abonde.

Pas besoin de pain ; on repêche les croûtes dans le ruisseau, et même on a le goût du vin, si l'on veut, en rinçant avec de l'eau fraîche un cul de bouteille cassé.

Que faut-il de plus ? N'est-ce pas assez ? ils ont de quoi ne pas mourir, et ils sont libres.

Paul Verlaine (1844-1896)

Poèmes saturniens (1866)

Dans la partie du recueil intitulé *Eaux-fortes*, Verlaine a réuni des poèmes inspirés par des gravures ou par les tableaux imaginaires. « Grotesques » décrit le passage des bohémiens.

GROTESQUES

> Leurs jambes pour toutes montures,
> Pour tout bien l'or de leurs regards,
> Par le chemin des aventures,
> Ils vont hailloneux et hagards.

Les gueux

Le sage, indigné, les harangue ;
Le sot plaint ces fous hasardeux
Les enfants leur tirent la langue
Et les filles se moquent d'eux.

C'est qu'odieux et ridicules,
Et maléfiques en effet,
Ils ont l'air, sur les crépuscules,
D'un mauvais rêve que l'on fait

C'est que, sur leurs aigres guitares
Crispant la main des libertés,
Ils nasillent des chants bizarres,
Nostalgiques et révoltés ;

C'est enfin que dans leurs prunelles
Rit et pleure – fastidieux –
L'amour des choses éternelles,
Des vieux morts et des anciens dieux !

Donc allez, vagabonds sans trêves,
Errez, funestes et maudits,
Le long des gouffres et des grèves,
Sous l'œil fermé des paradis !

La nature à l'homme s'allie
Pour châtier comme il le faut
L'orgueilleuse mélancolie
Qui vous fait marcher le front haut.

Et, vengeant sur vous le blasphème
Des vastes espoirs véhéments,
Meurtrit votre front anathème
Au choc rude des éléments.

Les gueux

Les juins brûlent et les décembres
Gèlent votre chair jusqu'aux os,
Et la fièvre envahit vos membres,
Qui se déchirent aux roseaux.

Tout vous repousse et tout vous navre
Et quand la mort viendra pour vous,
Maigre et froide, votre cadavre
Sera dédaigné par les loups !

BIBLIOGRAPHIE

– Victor Hugo : *Le Dernier Jour d'un condamné* (existe dans plusieurs collections de poche).
– Victor Hugo : *Écrits sur la peine de mort*, Actes sud, 1992.
– Albert Camus et Arthur Koestler : *La Peine capitale*, Calmann-Lévy, 1957.
– Mary Higgins Clark : *La Nuit du Renard*, « Classiques et Contemporains » n° 1, Magnard, 2000.
– Laurence Thibault : *La Peine de mort en France et à l'étranger*, Gallimard, 1977.

S'INFORMER AU C. D. I.

Vous pouvez consulter les articles de presse et les dossiers suivants au C. D. I. :

– Philippe Key : « La peine de mort en question », *Clés de l'actualité* n° 289 du 12 février 1998.
– Christopher Vadot : « Un million de marcheurs contre la peine de mort », *Clés de l'actualité* n° 346 du 15 avril 1999.
– « Pour la première fois depuis 1984, une femme est exécutée aux États-Unis », *Le Monde* n° 16493 du 5 février 1998, pp. 1, 2, 15, 32, 34.
– David Hicks : « Journal d'un condamné dans le couloir de la mort », *Le Monde* n° 16552 du 15 avril 1998, pp. 12-13.
– Michel Marbeau : « Victor Schoelcher, de Nelly Schmidt », *École des Lettres* (second cycle) n° 4 du 1er octobre 1998.
– Marianne Brouard : Dossier thématique « Albert Camus, le juste », *Le Monde*, « Dossiers et documents littéraires » n° 21, octobre 1998.
– Hélène Lotthé-Covo et Élisabeth Tardif : Dossier thématique « Victor Hugo, la légende d'un siècle », *Le Monde*, « Dossiers et documents littéraires », avril 1999.
– Stéphane Béchaux : « La peine de mort divise l'Amérique », *Phosphore*, numéro hors série, octobre 1998.
– Paule Dandoy : « La peine de mort est une idée primitive », *Phosphore* n° 220, octobre 1999.
– Pedro Simon : « En el corredor de la muerte », *Vocable* (ed. espanola) n° 321 du 7 février 1999.
– Evelyn Nieves : « Gracier un condamné à mort équivaut à un suicide politique », *Courrier international* n° 448 du 3 juin 1999.

VISITER

Maison de Victor Hugo (Hôtel de Rohan-Guéménée) : 6, place des Vosges, 75004 Paris. Métro : Bastille / Bus : 69, 76. Tél. : 01 42 72 10 16.
Site Internet : **http ://paris.org/Musees/Victor. Hugo/info.html**
Visite tous les jours sauf Lundi et jours fériés, de 10 h à 17h30. Conférences sur demande. Pour les groupes, réserver 1 mois à l'avance.

CONSULTER INTERNET

- **• Sur Victor Hugo :**
- – http ://www.microtec.net/~pcbcr/hugo.html

- **• Sur la peine de mort :**
- – http ://www.iep.univ-lyon2.fr/PdM/peinedemort.html
- – http ://www.justice.gouv.fr/textfond/textfond.htm
- – http ://www.coe.fr/50francais/activites/peinede.htm
- – http ://www.alpes-net.fr
- – http ://www.acat.ch

**Pour consulter tous les titres Classiques et Contemporains, composer :
www.magnard.fr/cc**

Couverture
Conception graphique : Marie-Astrid Bailly-Maître
Illustration : Laurent Corvaisier

Intérieur
Structuration du texte : Roxane Casaviva
Conception graphique : Marie-Astrid Bailly-Maître
Réalisation : PAO Magnard, Barbara Tamadonpour

© Éditions Magnard, 2000 – Paris
www.magnard.fr

Achevé d'imprimer en juillet 2010 par «La Tipografica Varese S.p.A.», Varese
N° d'éditeur : 2010/443 - Dépôt légal : mai 2000
Imprimé en Italie